HOWARD HODGKIN:

PETITS FORMATS 1975-1989

FUNDACIÓ CAIXA DE PENSIONS

HOWARD HODGKIN:

PETITS FORMATS 1975-1989

Musée des Beaux-Arts, Nantes   15 de juny - 15 de setembre 1990

Centre Cultural de la Fundació Caixa de Pensions, Barcelona   1 d'octubre - 18 de novembre 1990

Scottish National Gallery of Modern Art, Edimburg   desembre 1990 - febrer 1991

Douglas Hyde Gallery, Trinity College, Dublín   abril - maig 1991

CENTRE CULTURAL DE LA FUNDACIÓ CAIXA DE PENSIONS
Passeig de Sant Joan, 108. 08037 Barcelona

Edita
FUNDACIÓ CAIXA DE PENSIONS

Directora d'Arts Plàstiques
MARÍA CORRAL

1a. edició 1990
Via Laietana, 56. Barcelona
I.S.B.N.: 84-7664-283-0
D.L.: B.

Exposició

Organitzada per: The British Council

Comissaris: HENRY-CLAUDE COUSSEAU,
conservador en cap del Museu de Beaux-Arts, Nantes
JACQUELINE FORD, Servei d'exposicions de The British Council,
Londres

Coordinació tècnica: IMMA CASAS

Dossier de premsa: GEMMA ROMAGOSA

Coordinació del muntatge: CARLES COMAS

Informe tècnic: JESÚS MARULL DALMAU

Catàleg

Coberta: Concebuda especialment per HOWARD HODGKIN

Disseny: TIM HARVEY

Translació gràfica: MAR LISSÓN

Coordinació: ELVIRA MALUQUER

Traduccions: JAMES EDDY, IGNASI SARDÀ, JORDI J. SERRA

Assessorament lingüístic: JORDI J. SERRA

Fotografies: PRUDENCE CUMING ASSOCIATES, Londres
DOROTHY ZEIDMAN PHOTOGRAPHY, Nova York
p. 10 Cortesia dels patrons de la TATE GALLERY
p. 11 Cortesia KUNSTHAUS, Zuric
p. 12 Cortesia THE BRITISH MUSEUM, Londres

Impressió: LECTURIS BV., Eindhoven

Fotocomposició: FOINSA, Barcelona

Catàleg publicat per The British Council i la Fundació Caixa de Pensions

Presentació

Si alguna cosa caracteritza la pintura de Howard Hodgkin és la seva absoluta modernitat, una modernitat que es defineix per la gran capacitat de síntesi que guia la seva proposta, a través d'un recorregut estètic en el qual s'impliquen diverses tendències històriques.
El públic espanyol no ha tingut oportunitat de conèixer de prop la pintura de l'artista britànic. Si exceptuem l'exposició d'obra gràfica que, en el transcurs d'un gira per Espanya organitzada pel British Council, va presentar-se el maig de 1989 a Terrassa, mai no hi ha hagut en el nostre país cap manifestació que permetés valorar l'abast del seu treball.
L'exposició que presentem, composta per 27 pintures, és, doncs, la primera en el seu gènere que es pot veure a Espanya. Han estat necessaris més de deu anys per preparar-la, atès que les obres, escasses i fràgils, es trobaven escampades en col·leccions privades, algunes molt allunyades; aquesta circumstància ha contribuït a crear al voltant de la mostra una aura de secret i un clima de raresa que n'augmenten l'atractiu. No obstant, la seva qualitat més excepcional rau en el màgic esclat que la pintura de Howard Hodgkin, una pintura que sembla distanciada de la seva pròpia època, provoca en l'espectador tot connectant-lo amb la familiaritat llarga i remarcable que l'artista desplega en l'art de pintar.
Per això, es podrà comprendre fàcilment fins a quin punt és sincer el nostre agraïment a totes les persones que han fet possible aquesta exposició: a Henry-Claude Cousseau, del Musée de Beaux Arts de Nantes, i a Jacqueline Ford, del British Council, comissària de l'exposició, així com a Peter Prescott i Andrew Kyle, del British Council a París, pel seu suport, i a Miren de Bustinza, del British Council a Barcelona, per la seva ajuda. Donem les gràcies més expressives a Catherine Ferbor, Tanya Leslie i Joanna Gutteridge, del British Council, la col·laboració de les quals en aquest projecte ha estat en tot moment inestimable.
Així mateix, no podem pas oblidar Timothy Hyman i Francisco Calvo Serraller, que tan valuosos comentaris a l'obra de Hodgkin han escrit per al catàleg de l'exposició, ni tampoc Carol Lee Corey de Knoedler & Co, Nova York, i Sara Shoot, de les Galeries Waddington de Londres, per llur col·laboració inapreciable.
La Fundació Caixa de Pensions es complau, doncs, a presentar aquesta exposició, organitzada en col·laboració amb The British Council, que aplega les obres més significatives de l'artista durant l'última dècada i ofereix al públic de Barcelona la primera oportunitat de conèixer àmpliament el seu treball.

Henry Meyric Hugues
Director del Departament d'Arts Visuals de The British Council

Joan Josep Cuesta
Director executiu de la Fundació Caixa de Pensions

Hodgkin, la pintura inalienable

Els prejudicis pertorben la interpretació de l'obra de Howard Hodgkin. Confinada per molts europeus en el preciosisme d'una mena de virtuosa realització de la tradició occidental, no acabaria de pertànyer al seu temps; quedaria elegantment al marge de les aportacions contemporànies per haver-les menystingut i haver-se adherit, no sense desdeny, a les referències menys actuals de l'art. En l'actitud i el pensament del pintor hi ha una mena d'arrogància, que no prové, però, ni d'una superioritat gratuïta, ni tampoc de cap espècie d'ofuscació intel·lectual. Si ens atenim a les seves paraules[1], és en una exigent pretensió de *classicisme* on, sens dubte, cal cercar l'origen d'aquesta resistència davant la seva època i, sobretot, el seu rebuig a acceptar-ne l'aprovació. Una mena d'escepticisme el constreny en certa manera a acceptar el repte de sotmetre's al desafiament de mantenir-se estrictament dins les coordenades tradicionals per desbordar-les en el seu propi terreny; el que, en últim terme, el mena a ignorar-les. Howard Hodgkin és, en aquest sentit, singular: de fet, proposa, sense voler-ho manifestar clarament, una alternativa a la pintura de les últimes dècades. Una forma de superioritat del saber rebutja el radicalisme de les ruptures en profit d'un entossudiment provocador i fecund alhora. El desig d'intemporalitat que fonamenta tot classicisme, i del qual parla concretament Hodgkin, consisteix sobretot a acceptar dissociar el tema essencial de l'obra d'aparences estilístiques inevitables, però en el fons subsidiàries. En aquest aspecte, el pensament s'adiu més amb el recolliment, amb la discreta protecció que ofereix la tradició, per exaltar la seva agudesa i la seva força.
D'ençà del començament dels setanta, l'obra de Hodgkin presenta indicis d'aquesta preferència. El pintor decideix expressar-se dins uns límits i mitjançant uns conceptes que resumeixen una descripció del quadre: predilecció per un colorisme exuberant i emocional (procedent en bona part, a més, de la tradició francesa) en el fons del qual habita una declarada passió per Vuillard, de qui l'artista recull la lliçó intimista; gust pels formats petits (que el porten a preferir, com a suport, la fusta a la tela), i composicions tancades que privilegien la profunditat que subratlla l'afirmació sistemàtica de la noció de quadre. D'altra banda, els títols dels quadres donen a entendre la manera en què la seva gènesi comenta la vida del pintor en una narració autobiogràfica que ens transmet els estats afectius que el determinen.
Però la descripció (fins si es lliura permanentment a un joc delicadament al·lusiu amb la realitat) s'acaba ben aviat. La intenció va més enllà. L'esquer il·lusionista que tant fascina Hodgkin té el seu punt de partença en l'artifici d'una afirmació gairebé exclusiva de trets que només serveixen, al

capdavall, per introduir la seva lògica. La pintura sempre està emmarcada; però el marc, per afirmar la seva solidaritat amb ella, també és pintat, incorporat a la composició pel joc de pinzellades i colors, fins a esdevenir-ne un element constituent. S'hi confon i, d'altra banda, per això mateix no existeix de debò. De fet, l'espai «crea una il·lusió de profunditat sense descompondre la planor de la superfície»[2]; és un espai «cavernós»[3] que en part es fa tangible per mitjà de l'afirmació de la vorada del quadre, tractada concretament com una mena de jerarquia de la progressió cap al seu centre focal. La pinzellada fins alliberarà, sumàriament, alguns signes, que tan sols serveixen, tanmateix, per incorporar-ne millor el color. El mateix color, per un savi joc de capes translúcides, d'intersticis lluminosos, reemplaça el desplegament, la desmultiplicació interior de l'espai. La seva estridència embriagadora, la seva fulgor, donen lloc a modulacions, dissonàncies o harmonies que contribueixen a fer sonar el conjunt del quadre com un acord fet per un instrument musical. Però aquesta concisió temporal amaga parcialment el veritable projecte del pintor.
Tot això ens és indicat per una declaració força eloqüent del mateix pintor que palesa l'altre vessant del seu pensament: «Per mi, és molt important que cada pinzellada no esdevingui una mena d'autògraf, sinó simplement una pinzellada que tot seguit pugui ser utilitzada amb una altra qualsevol per contenir alguna cosa... Vull una pinzellada que sigui anònima i autònoma»[4]. Qualitats que Hodgkin ja troba en David i, després, en Degas (el qual oposava, d'altra banda, a Manet) i, més proper a nosaltres, en J. Johns[5]; en altres paraules, l'artista aborda una preocupació que se separa completament de les que aparentment són seves i que l'aproxima tant com és possible als seus contemporanis.
Després de Pollock, en l'obra del qual la projecció gestual arriba al paroxisme, la pintura esdevé el lloc d'una reflexió que tendeix, literalment, a l'escenificació; com a emblema clàssic, «l'execució» es converteix en tema del quadre en un distanciament irònic que hi fa emergir certs trets (precisament la pinzellada, el gest –que n'és el corol·lari–, l'il·lusionisme espacial, l'ambigüitat relativa a la figuració) com una temàtica específica. És el cas, especialment, de G. Richter, però també de Lichtenstein, Polke i d'altres. Evidentment, hi ha una manera comuna de plantejar el problema de la pintura, de l'escenificació de la pràctica pictòrica, pròpia d'un determinat estat d'ànim, i cal recordar que en els primers temps el treball de Hodgkin estava relacionat amb el Pop Art.
Al cap i a la fi, els artificis a què recorre el pintor només són explorats, desmuntats, per reforçar i perpetuar el seu poder. Amb més exactitud, en aquest cas la pintura s'elabora a partir de la fascinació que engendra el propi estereotip, simultàniament imaginari i cultural. D'altra banda, la passió que l'artista experimenta per la pintura índia també prové del seu *classicisme*, és a dir de la força estereotipada que posseeix a desgrat i, sobretot, a causa de la discreció, gairebé de la tenuïtat miraculosa, dels mitjans que empra. Per esmentar una personalitat que aparentment es troba a les antípodes de Hodgkin, transcrivim aquesta frase de G. Richter referida a la noció de bellesa: «Vaig arribar a la conclusió que sempre tenia tant d'impacte»[6]. La paraula és essencial. El que s'evoca és la potència *inicial* de la pintura. En aquest sentit, el que cerca la pintura pertany naturalment a l'ordre del concepte però, també, al de l'efecte.
En poques paraules, en el cas de Hodgkin la pinzellada, els signes, el color, l'espai, la composició, tenen una dimensió narrativa immediata, però suplantada, recoberta, amagada. Igual com els colors

transparents que, al llarg dels anys en què els quadres són represos una i altra vegada, fan desaparèixer de mica en mica el primitiu tema de la pintura, hi emergeix un altre tema en un moviment que n'és conseqüència, indici d'aquesta distància, font d'un altre artifici i que, de la pintura emmarcada al marc esdevingut pintura, desemboca al capdavall en la seva representació. Ni en l'intimisme que el caracteritza no hi ha res que no sigui, com ben justament deia el mateix artista, «brutalitzat»[7] per la pintura. Quan Ritcher invoca la noció d'impacte com una exigència de domini de la seva capacitat, del seu poder de pintor, Hodgkin hi reacciona rebutjant separar-la de l'emoció que tampoc no deixa de produir.

Tornant al seu punt de partida, preferint per classicisme efectuar una síntesi més que no actuar a base de tallar o rebutjar, i sentint-se finalment en possessió d'aqueixa capacitat, Hodgkin integra en la imatge, especialment a través dels efectes cromàtics, la dimensió sensible i concreta. La ironia és, doncs, submergida, desplaçada per l'emoció de l'enunciat. Sap que així perpetua el record de l'instant, la seva voluptuositat, i que confereix a la pintura el seu poder inalienable[8].

Henry-Claude Cousseau
Traducció: I. Sardà

Notes

1. Confronteu la interessantíssima entrevista amb David Sylvester: *Howard Hodgkin: forty paintings, 1973-1984*, Londres, 1984, p. 105.
2. *id*, p. 100.
3. *id*, p. 101.
4. *id*, p. 105.
5. *ibid.*
6. Citat per Bernard Blistène: «Gerhard Richter ou l'exercice du soupçon», del catàleg de l'exposició Gerhard Richter, Saint-Étienne, Musée d'Art et d'Industrie, gener-febrer 1984, p. 8.
7. *op. cit.*, p. 100.
8. En el sentit que entén la poesia i l'oposa a la ideologia Roland Barthes: *Mythologies*, París, p. 247.

Howard Hodgkin:
Fer de la solució un enigma

Tot pintor, podríem dir, sosté la creença que una emoció humana i un objecte físic poden esdevenir equivalents exactes. En el cas de Howard Hodgkin, però, aquesta fosa d'emoció i objecte s'instaura nítidament i excepcionalment com a tema. Cap altre artista contemporani no ha traçat tan fermament, com a àrea d'emocions especial i pròpia, allò que és fugisser, intangible, esmunyedís i evanescent; ni, alhora, cap d'ells no ha emfasitzat tant la identitat material de cada quadre. Cada quadre hauria de ser, citem Hodgkin literalment, «tan sòlid des del punt de vista formal i físic com una taula o una cadira». Aquesta exposició és la primera que se centra en les pintures petites de Hodgkin. No es tracta pas de variacions miniaturitzades d'altres imatges més grosses; fins i tot en la més petita, l'escala dels trets individuals roman inalterada. (La pinzellada constitueix en totes aquestes obres la unitat fonamental.) Per a Hodgkin mateix, la petitesa d'aquestes pintures forma part íntegra del seu significat:

«Hi ha emocions que un voldria tancar més que no pas mostrar. Les coses petites, cal dir-les a petita escala. Ara bé, no per això són inferiors. Un quadre petit exigeix una tremenda disciplina pel que fa al que s'hi pot dir. No s'hi pot dir tant.»[1]

En altres exposicions anteriors de Hodgkin, les pintures petites apareixien, com ell diu, «com nens al costat dels seus pares»[2]; aquí disposem de l'oportunitat de trobar-les sense tercers.

Segons els estàndards dels seus contemporanis, tots els quadres de Hodgkin es podrien descriure com a petits. Si ens fiquem en la secció de postguerra de qualsevol museu, el primer que ens sobtarà és la disminució de les dimensions de les obres. Els seixanta i els primers setanta, moment en què l'obra de Hodgkin comença a ser exhibida, van ser, com va dir David Sylvester, «un període durant el qual estaven internacionalment bandejades les mides domèstiques per als quadres»[3]. S'acceptava com a lloc comú que la pintura de cavallet era una moda superada; si una pintura volia ser apreciada, doncs, no havia d'aparèixer com una finestra sinó com una paret. Dessota d'aquest acord formal també n'hi havia un altre de sentiment, que proclamava que l'única àrea d'emoció a la qual podia aspirar tota forma important d'art contemporani era la Sublimitat.

Howard Hodgkin aviat va comprovar que el seu interès com a pintor estava relacionat amb l'experiència íntima i personal; així doncs, al llarg de més de vint-i-cinc anys, va desenvolupar un llenguatge que pogués heure-se-les-hi. En la determinació de la proporció, l'emoció i l'objecte interactuen. Ho explica així:

«El tema cal que estigui físicament contingut... La mena d'il·lusionisme que faig servir com a

llenguatge pictòric no funciona a gran escala. Quan et trobes pintant un quadre enorme, hi has de fer servir una altra mena d'il·lusionisme molt més arquitectònic i molt més poc intens. Em penso que aquesta és la raó, la més important, que els meus quadres siguin comparativament petits.»[4]
La intensitat, tant com la intimitat, és el factor clau. Quants de cops, en ensopegar una obra diminuta de Hodgkin en una exposició col·lectiva o a les parets d'un museu, l'he vista llampegar i brillar com un estel nou i meravellós esclatant en una galàxia de planetes morts! Me'n recordo d'una que realment era planetària, *The Moon*, una imatge de 50 cm amb prou feines. L'única manera de penjar-la, en companyia d'uns veïns retòrics i immensos, era donar-hi un espai com a mínim igual, que pogués dominar còmodament. La lliçó se'n desprenia inconfusible: una densitat concentrada i una brillantor comprimida poden pesar molt més que no pas unes masses infinitament superiors en mida.

* * *

«Els meus quadres —va escriure el 1972 en una nota adjunta a la seva primera exposició a París— són pintures narratives que descriuen moments específics i gent molt concreta. He fet uns quants retrats on he intentat de crear una amalgama entre els individus i els seus ambients, així com entre ells.»
«L'amalgama» és interessant; com si l'artista tingués l'esperança de fondre tots aquests elements i segellar-los dins la imatge com un fòssil dins l'ambre. Fa més de vint anys, quan en tenia setze, va realitzar un petit guaix imperiosament lúcid, d'uns 22 x 25 cm, que vaticinava, tant per tema com per enginy i condensació, el tarannà de la seva obra futura. De tota manera, ell sabia que *Memoirs* era prematur:
«Em van caldre anys per tornar a la intensitat d'aquell quadre. Però hi volia arribar des d'una altra direcció. Volia fer servir la pintura com a substància.»[5]
Tot en els inicis del desenvolupament de Hodgkin es pot veure adreçat ja de començament cap a aquesta substancialitat. Va descobrir que necessitava endegar cada quadre damunt un suport absolutament positiu, preferiblement alguna cosa que ja tingués existència pròpia com a objecte de

Diner at Smith Square, 1975-1979

Mémoires, 1949

fusta: un tros de porta o fins una fusta per llescar el pa. Les figures havien de sorgir de l'autèntica matriu del quadre, hi havien d'estar encastades, encara que això impliqués pagar el preu de reduir-les al signe o a la tija més rudimentaris. La descripció d'un Hodgkin de la primera època hauria de prestar particular atenció a les formes geomètriques planes, a les humorístiques dissonàncies de colors llampants (fàcilment assimilables a l'estètica del collage del Pop), i a l'omnipresent to d'arrauxada hilaritat. També, però, hauria de donar idea del fet que la major part d'aquestes obres han estat treballades durant anys i que la imatge final inclou aquest sentit del pas del temps, d'acumulació. En l'obra de Hodgkin l'emoció es contempla com un factor molt proper a l'esfera física. L'artista pot ben bé començar esbossant l'espai o les figures més o menys literalment: al llarg dels mesos l'emoció hi construeix una estructura pròpia. En diríem abstraccions, de les imatges resultants? Sovint es considera pintura abstracta com a sinònim de pintura purista. Però també hi ha una transcendència amb epifanies que arrelen en la quotidianitat. La peculiaritat de Hodgkin pel que fa a l'art metafísic conforma l'autèntic eix al voltant del qual l'experiència diària esdevé profètica.

Vuillard i Bonnard són els grans exemples d'aquests èxtasis davant la quotidianitat. El vocabulari de taques i esborralls de Hodgkin prové de les superfícies texturades de Vuillard; es constitueix en un llenguatge adequat per expressar la densitat de l'ambient que es produeix entre la gent present en una habitació, aquelles vibracions que se superposen i envaeixen els espais; un llenguatge adequat també per reinstal·lar l'intimisme pautat de Vuillard en un ritme més forassenyat. Allò que en la dècada del 1890 es va haver de presentar com si fos «el dibuix de la catifa», en els 70 d'aquest segle ja podia aparèixer sense embuts, alliberat de tota altra funció de representació. Aquests trets distintius, de qualsevol color i distribuïts amb qualsevol ritme, esdevingueren per a Hodgkin l'instrument essencial per a la lliure improvisació lírica.

Durant tota la postguerra, fins que Hodgkin no va dir la seva, semblava que la tradició de l'intimisme no disposava d'hereus. Part de l'èxit de Hodgkin en els seixanta i els setanta consisteix en la revalorització d'aquesta possibilitat negligida: crear un art que ens parli d'una manera nova sobre el que passa entre gent amiga quan es troben en apacibles interiors.

Sr. i Sra. Cornwall Jones, 1967-1969

Édouard Vuillard: *Grand intérieur aux six personnages*, 1897

Aquesta exposició comença per l'època en què els temes habituals de Hodgkin prenen un caire lleugerament diferent. La situació de complexa sociabilitat encara s'hi pot donar, però tendeix a deixar sorgir emocions més directes, fins i tot primàries. Pintures com ara *The Moon* (1978-80) o *Rainbow* (1983-85) refermen una mena d'imatge primordial propera a l'emblema o a l'arquetip. Més que mai, el seu rebuig de la iconografia, la seva adopció d'una resposta absolutament sensual, semblen complir els requisits de la definició d'art de Wallace Stevens, segons la qual l'art hauria d'ésser «una resposta a mans buides a grecs i llatins».

Quan Hodgkin mira des de Venècia, només veu cel i mar, i l'estructura del quadre se cenyeix estrictament a copsar com el rectangle de cel, contigu al rectangle de mar, queda atrapat pel nostre esguard perceptual (és a dir, pel marc). Venècia no és ni l'arquitectura ni la gent; el que importa és la presència insistent de l'horitzó , que, com un zoom, ens arrenca i ens llança cap a l'espai més infinit i insondable. Una imatge d'una simplicitat tan gran com aquesta ens recorda que en pintura cal molt i molt poc per crear un món. Tot i així, aquestes pintures demostren que són menys elementals –menys pel que fa al temps– del que poden semblar a cop d'ull. Degas, en les seves monocòpies acolorides de la dècada del 1890 (molt admirades per Hodgkin), ja havia investigat meravellosament el projecte d'un paisatge de memòria esquiva; *Venice rain*, amb el seu farcell gegant de núvols vermells contra un marc verd llimona, s'ha descrit «no pas com un record pintat, ans com una imatge de l'acte de recordar, necessàriament desenfocada»[6]. Allò que produeix aquest reflex subtil és, per a mi, el marc pintat, la forma com retalla cada salt en l'espai perquè es converteixi en un objecte, en un pensament solidificat.

En alguns d'aquests quadres hi ha una petita imatge central –el cap barbat de *Paul Levy*, per exemple, o la silueta vermiforme que sorgeix de la gespa distant a *Small Henry Moore at the bottom of the garden*, vista a través d'un marc molt més gros que la imatge mateixa. Sovint, la motllura real del marc contradiu la manera com està pintada. S'està disputant constantment una batalla territorial: la imatge depassant el marc i el marc contraatacant i tenallant la imatge. Els senyals vermells i airejats que s'arraïmen al marc pla exterior de *Rainbow*, semblen una postimatge que s'expandeix enfora des del radiant arc frisat del mig. En contrast, el vermell pla que penetra uns

Edgar Degas: *Cap Hornu*, ca. 1890-1893

centímetres en la motllura de *In the honeymoon suite*, amaga d'aquesta manera el drama que hi té lloc a l'interior i en fa una mena d'esguard pel forat del pany. En algunes obres la imatge i el marc assoleixen una tal fluïdesa, que sembla que puguem experimentar la llunyania i la proximitat ensems.

En totes aquestes imatges hi ha el desig de fer que tant la pintura com la pinzellada operin com una substància essencial o plasma de l'experiència mateixa. Aquests traços, igualment els podríem prendre per punts de llum impactant l'ull o per fiblades de plaer. A *Paul Levy*, per exemple, els flocs i les taques ocres es poden llegir com a fragments de converses; com si, d'altra banda –i si ens vingués de gust–, poguessin encarnar formes mentals o aures suspeses. Mentrestant, llur funció espacial és sovint una mena de marc auxiliar que atermena la penombra de la visió perifèrica. Molt semblantment, Bonnard ja havia explotat la qualitat aproximada de la pinzellada impressionista per tal d'emfasitzar-hi la subjectivitat, la inclusió dels objectes representats en el plaer de la contemplació. La imatge, la copsa la vora de l'ull, la vora del jo.

De tots els recursos de l'artista, el color és el que actua més directament damunt nostre. En Hodgkin el color recobra el seu poder més amoral i eufòric. Fa dos mil anys, Vitruvi ja se'n planyia: «L'excel·lència en l'art, que els antics s'escarrassaven per assolir no escatimant esforços, s'aconsegueix ara fent servir els colors i la vistositat que produeixen. ¿Qui entre els antics podríem trobar que hagués utilitzat el vermell si no molt de tant en tant, com una droga?» Perfectament conscient del poder narcòtic que tenen, Hodgkin disposa els colors buscant que ens desmaiem; ens hi emmetzina. Quan Hodgkin mira per la finestra i hi veu una lluna vaporosa cargolant-se sobre el mar, desencadena un fascinant romanç lunar; un quadre diminut produeix una intoxicació –per tal com la lluna sembla avançar i sortir del cel viridià–, que per a mi resumeix aquella màgia poderosa amb la qual el seu art ens encisa. El nínxol circular, encara més petit, de *Dark Moon* (el vòrtex obsessiu i amenaçant de gris i negre planant damunt un vermell irat) ens recorda allò que Pierrot i tot altre amant llunaferit sap: que la cara oculta no és mai gaire lluny.

Quan de primer hom hi ensopega, un quadre de Hodgkin ofereix una satisfacció sensual pura, amb una intensitat impossible de trobar enlloc més dins l'art anglès. Fins i tot les pintures més ostensiblement «belles» demostren tenir substància. Rere la vistositat de *Goodbye to the bay of Naples*, s'amaga una segona reacció: la sobtada irrupció en la consciència del fal·lus verd del primer terme retallat contra el pla blau de la Mediterrània, mentre que el Vesuvi, al darrere, llança tot de lava negra pel marc. Sí, és cert: no pas totes les imatges de Hodgkin són endevinalles com aquesta. Ningú es podria confondre, per posar un exemple, amb l'efeb en fusta nua del primer pla de *Waking up in Naples*. Ara bé, tot i que el meu record general d'aquests quadres els contempla com a enigmes, també els experimento com a imatges de sentiment, d'un món desequilibrat pel sentiment, amb les seves formes peculiars vençudes pel sentiment. Hodgkin mateix ho expressa així: «M'agradaria pintar quadres de tal manera que la gent no s'amoïnés per saber què són; fins a tal punt hi estarien embolcallats, per ells»[7].

Preguntat com sabia quan un quadre està acabat, va contestar: «Quan el tema retorna.» I em penso que ens el creiem; fins i tot quan sembla que es dedica a posar tota mena d'obstacles entre nosaltres i la simple identificació d'aquest tema. La intuïció que l'ambigüitat resulta necessària per expressar l'experiència ha exposat molts artistes d'aquest segle a l'acusació de desorientació. La millor refutació, però, la trobem en la críptica fórmula de Karl Kraus: «Només l'autèntic artista sap com fer un enigma de la solució».

* * *

Voldria descriure la meva experiència –típica– amb un quadre de Hodgkin. De primer hi ha aquella «seducció inicial», que Bonnard considerava essencial en tota pintura, la qual en Hodgkin és excepcionalment palesa, tant en la magnificència del color com en el vigorós tremp del traç. Després em sento atret encara amb més intensitat per un sentit de la il·lusió, de profunditat espacial, que conté una promesa de representació (normalment confirmada pel títol), sols per trobar que aquesta representació no se'm revela. D'ara endavant, la imatge assumeix el caràcter de l'enigma. Hi ha un estat posterior –al cap d'uns segons o al cap d'uns anys; hi ha quadres en aquesta exposició que encara he de desxifrar– que pot aparèixer quan, de cop i volta, «llegeixo» la imatge. I amb aquest reconeixement em pervé una esplèndida sensació de procés reeixit.
Hodgkin mateix ha parlat del «temps recobrat». El paral·lel proustià hi és evident. La teoria psicoanalítica ens diu que la creativitat va lligada a la superació de l'angoixa; per a Hannah Segal, «el plaer estètic prové de la nostra identificació amb la lluita depressiva de l'artista i amb la seva sortida d'ella». O bé, adoptant un punt de vista més lleuger, hom pot pensar en Mallarmé aconsellant l'artista: «No pintis la cosa sinó l'efecte que produeix» perquè «anomenar un objecte és suprimir-ne les tres quartes parts del gaudi (...) que consisteix en el plaer d'anar endevinant a poc a poc». De tota manera, està clar que, mitjançant aquest llenguatge críptic, Hodgkin ens ofereix de prendre part, de ser-ne còmplices, en aquesta mena de coses.

* * *

Potser caldria distingir dos elements. Per un cantó hi ha el procés pel qual l'emoció o la memòria esdevé una obra d'art; per l'altre hi ha la qüestió, molt diferent, de la descripció en l'art contemporani. La primera vegada que vaig entrar en contacte amb l'obra de Hodgkin, vaig creure que s'adreçava,

Primer retrat de Terence McInerney, 1981

Segon retrat de Terence McInerney, 1981

més que no cap altre artista per mi conegut, a les qüestions fonamentals de la descripció. Per exemple: Com representem actualment l'experiència d'*estar amb* una altra persona? Hodgkin ha afirmat en més d'una ocasió que no es pot imaginar «res de menys semblant a la realitat visual o física que el retrat tradicional». Mirar una persona és «com mirar el sol», coincidíem el 1975[9]. Com es podria reconciliar aquesta experiència amb la imatge retiniana, lineal i monofocal? La dimensió enigmàtica del seu treball, el «camuflatge», prové en part d'aquesta convicció: ja no es pot tenir l'esperança de construir una representació. Cal arribar a la imatge més obliquament, però també més directament.

L'obra de Hodgkin semblava indicar el camí cap a un nou llenguatge que tingués molt més en compte la nostra subjectivitat, allò que en deia «l'elusivitat de la realitat». Encara n'estic convençut, d'això, però en l'actualitat ho veig un xic diferentment. Hodgkin pertany a una generació que va atènyer la maduresa coincidint amb la prevalença de l'abstracció formal, de manera que el seu llenguatge pictòric individual sempre s'ha trobat sota una gran pressió. Avui, per això, per a mi i per a altres artistes quinze o vint anys més joves que ell, sí que sembla possible dibuixar, diguem-ne, els trets d'un rostre, precisament perquè la intensitat formal se'ns presenta més poc imperativa. Des d'aquesta perspectiva més «relaxada», el de Hodgkin pot semblar tan sols un llenguatge en el límit més remot de l'espectre de possibles descripcions. Tanmateix, el seu sentit del quadre-com-a-objecte em resulta tan formidable com posar un immens interrogant damunt dels exemples més descriptius de representació contemporània.

En els seixanta, Hodgkin va desafiar les ortodòxies de l'abstracció; avui, les de la descripció. Molt més explícitament que no cap altre pintor en qui pugui pensar, Hodgkin ha aconseguit de «copsar la situació» amb un compromís terminant i definitiu, i així fer-nos l'experiència intensament present. Les seves millors pintures contenen aquesta tensió entre l'emoció i l'objecte, i és precisament per aquesta raó que, dutes a l'extrem, desembullen tan enriquidorament els processos essencials al ver cor de la pintura.

Timothy Hyman
Traducció: Jordi J. Serra

Notes

1 Conversa de Howard Hodgkin amb l'autor; febrer del 1990.

2 Ibídem

3 Entrevista amb David Sylvester a *Howard Hodgkin: Forty paintings 1973-84* (The Whitechapel Art Gallery: 1984).

4 Ibídem

5 Entrevista amb Richard Cork, Lecon Arts, Londres, 1984.

6 Andrew Graham-Dixon, *The Independent*, 6 setembre 1988.

7 Entrevista amb l'autor, *Artscribe*, juliol 1978.

8 David Sylvester, op. cit.

9 Timothy Hyman, «Howard Hodgkin», *Studio Internacional*, Vol. 189, maig-juny, 1975.

Petit Henry Moore al fons del jardí, 1975-1977
Small Henry Moore at the Bottom of the Garden

Oli sobre fusta
52,7 × 53,4 cm
Col·lecció particular

Paul Levy, 1976-1980

Oli sobre fusta

53 × 61 cm

Col·lecció Saatchi, Londres

Al carrer Alexander, 1977-1979
In Alexander Street

Oli sobre fusta
45,1 × 50,8 cm
Col·lecció particular
Cortesia Galeria L.A. Louver, Venice

La lluna, 1978-1980
The Moon

Oli sobre fusta
44,7 × 55,8 cm
Col·lecció R.B. Kitaj

A partir de Corot, 1979-1982
After Corot

Oli sobre fusta
36,8 × 38,1 cm
Col·lecció particular, Los Angeles
Cortesia Galeria L.A. Louver, Venice

Comptar els dies, 1979-1982
Counting the Days

Oli sobre fusta
55,2 × 64,2 cm
Col·lecció particular

Figura dorment, 1980-1982
Sleeping Figure
Oli sobre fusta
22,3 × 29,5 cm
Col·lecció Terence McInerney, Nova York

Adéu a la badia de Nàpols, 1980-1982
Goodbye to the Bay of Naples

Oli sobre fusta
55,9 × 66,7 cm
Col·lecció particular, Estats Units

Anècdotes, 1980-1984
Anecdotes

Oli sobre fusta
57,8 × 73 cm
Col·lecció particular, Londres

Despertant a Nàpols, 1980-1984
Waking up in Naples

Oli sobre fusta
59,7 × 74,9 cm
Col·lecció particular

Passió, 1980-1984
Passion

Oli sobre fusta
32 × 55 cm
Galeria Waddington, Londres

Només el valent es mereix la rossa, 1981-1984
None but the Brave Deserves the Fair

Oli sobre fusta
62,8 × 76,2 cm
Col·lecció particular

Llençols nets, 1982-1984
Clean Sheets

Oli sobre fusta
55,9 × 91,2 cm
Col·lecció Saatchi, Londres

Lluna fosca, 1982-1984
Dark Moon

Oli sobre fusta
Diàmetre: 31,4 cm
Col·lecció Luther W. Brady

Una cosa petita molt meva, 1983-1985
A Small Thing but my Own

Oli sobre fusta
44,5 × 53,5 cm
Col·lecció particular, Nova York

A la suite nupcial, 1983-1985
In the Honeymoon suite
Oli sobre fusta
59,7 × 60,3 cm
Col·lecció particular

Arc de Sant Martí, 1983-1985
Rainbow

Oli sobre fusta
53 × 53,5 cm
Col·lecció Holly Hunt

A Central Park, 1983-1986
In Central Park

Oli sobre fusta
48,3 x 63,5 cm (ovalada)
Galeria Waddington

Nit veneciana, 1984-1985
Venice Evening

Oli sobre fusta
37 × 44,5 cm
Col·lecció particular

Vista des de Venècia, 1984-1985
View from Venice

Oli sobre fusta
23,9 × 47 cm
Col·lecció particular

Petita vista veneciana, 1984-1985
Small View in Venice

Oli sobre fusta
43,2 × 45,7 cm
Col·lecció particular

Vidre venecià, 1984-1987
Venetian Glass

Oli sobre fusta
34,3 × 42,5 cm
Col·lecció Galeria Iris Wazzau, Davos

Pluja de Venècia, 1984-1987
Venice Rain

Oli sobre fusta
58,4 × 58,4 cm
Col·lecció particular, Estats Units

Llacuna de Venècia, 1984-1987
Venice Lagoon

Oli sobre fusta
45,1 × 55,9 cm
Col·lecció particular

Llac de tardor, 1984-1987
Autumn Lake
Oli sobre fusta
35 × 45,7 cm
Col·lecció Provincia Regionale di Messina, Itàlia

Ombres de Venècia, 1984-1988
Venice Shadows

Oli sobre fusta
41,3 × 46,4 cm
Col·lecció Laura i Barry Townsley, Londres

La casa prop de Venècia, 1984-1988
House near Venice

Oli sobre fusta
50,8 × 56,2 cm
Col·lecció particular

Palmera blava, 1985-1986
Blue Palm

Oli sobre fusta
27,9 × 33 cm (ovalada)
Col·lecció Sr. i Sra. John T. Chiles

Ens coneixem?, 1985-1988
Haven't we Met?

Oli sobre fusta
48,9 × 64,1 cm
Col·lecció Saatchi, Londres

Fulles, 1987-1988
Leaves

Oli sobre fusta
50,2 × 65,4 cm
Col·lecció particular

Aigua grisa de Venècia, 1988-1989
Venice Grey Water

Oli sobre fusta
26 × 29,5 cm
Col·lecció particular

Posta de sol a Venècia, 1989
Venice Sunset

Oli sobre fusta
26 × 30 cm
Col·lecció particular

L'emoció i l'ordre

Entre les diverses coses que es poden afirmar sobre Howard Hodgkin, artista britànic nascut a Londres el 1932, una és que es tracta d'un pintor que no té gaires presses. Considerant-ne la trajectòria artística i vital, vista des del moment actual, no sembla pas que Hodgkin s'hagi donat gaire ànsia ni per pintar ni –encara menys i com a conseqüència lògica– per donar a conèixer la seva obra. Fa la primera exposició individual a Londres a final del 1962, a trenta anys. Tot amb tot, fins la dècada següent no suscità cap atenció crítica significativa, i fins els vuitanta no va atènyer projecció internacional. En efecte, a començament d'aquesta dècada, el 1981, el van triar com un dels artistes seleccionats per a prendre part en la mostra titulada *A New Spirit in Painting*, organitzada per la Royal Academy of Arts de Londres, la qual despertà un interès polèmic fins i tot dellà de les fronteres britàniques. Al cap de poc, es van presentar dues importants exposicions individuals que van itinerar per diversos països. La primera, *Indian Leaves*, era monogràfica i es va poder veure a Londres, a la Tate Gallery, l'any 1982; la segona, *Forty Paintings: 1973-1984*, consistia en una recopilació selectiva de la seva obra dels darrers deu anys. Aquesta exposició, precisament durant el 1984, va recórrer uns quants llocs, dels quals destaquem la Whitechapel Art Gallery, de Londres, i el Pavelló Britànic de la XLI Biennal de Venècia.
Quan es van produir aquests esdeveniments, que han resultat decisius per a assolir un autèntic reconeixement internacional de la seva obra més enllà dels cercles selectius dels especialistes, Howard Hodgkin ja havia fet els cinquanta anys, mig segle d'existència, que no és poc. De tota manera, una cosa és no amoïnar-se gaire per l'èxit, fent cas omís de les estratègies que ajuden a arribar-hi per la via ràpida, i una altra de ben diferent és conrear un treball lent al marge i tot d'allò que des del punt de vista de la promoció pugui voler dir el retard o la promptitud en la producció, per tal com totes dues actituds poden, eventualment, resultar rendibles a la seva manera.
Howard Hodgkin ha trigat a obtenir un reconeixement crític, tant per raó d'una producció escassa i lenta com per una positiva presa de distància pel que fa a la promoció personal com a artista. Això no obstant, la lentitud característica de la producció de Hodgkin és un element previ a tot altre pla conscient o a tota altra actitud deliberada. Vull dir que Hodgkin s'hi troba sense buscar-ho; és una mena de fatalitat: el resultat d'una contradicció de naturalesa estètica. En realitat, però, no n'estic segur, que la causa d'aquest endarreriment fatal imposat a l'obra de Hodgkin s'hagi de qualificar de contradicció o de paradoxa, per tal com, efectivament, la naturalesa paradoxal de l'art ens obliga a admetre que la distància més curta entre dos punts no és sempre la línia recta. En aquest mateix sentit, per exemple, s'ha pronunciat Hodgkin quan explica com la representació artística més directa d'una realitat s'assoleix a través d'una perspectiva

"obliqua", forçada. Ho deia precisament respecte a la forma de pintar de Degas i de Kooning, els quals defugen absolutament aquesta tècnica coneguda com *alla prima*, considerada de manera convencional la més adequada per captar la realitat fugissera. Per a Hodgkin, la sensació de fugacitat espontània només s'ateny mitjançant el mètode i la tècnica més sofisticadament elaborats. El que demana molt de temps –afirma Hodgkin pel que fa a l'acte de pintar– és donar-hi significat, incorporar-hi aquelles emocions, sentiments i impressions que no s'hi poden incorporar amb una tècnica *alla prima*.

Amb motiu de l'exposició que es va presentar a les Grafton Galleries de Londres el 1912, Roger Fry, el crític britànic que va encunyar el terme "postimpressionista" i que es va encarregar de redactar el pròleg del catàleg d'aquesta mostra antològica de la pintura francesa, va escriure: "Quan, ara fa dos anys –es referia a l'exposició de 1910– va tenir lloc la primera exposició postimpressionista en aquestes galeries, el públic anglès s'assabentà plenament per primer cop de l'existència d'un nou moviment artístic, un moviment que era encara més desconcertant atès que no era una simple variació sobre temes acceptats, sinó que implicava una reconsideració de l'objectiu i la intenció mateixos, així com també dels mètodes de l'art pictòric i plàstic. Així doncs, no fou pas sorprenent que un públic que havia arribat a admirar, per damunt de tot, l'habilitat amb què l'artista produïa la il·lusió en un quadre, s'hagi pres malament un art on aquesta habilitat quedava totalment subordinada a l'expressió directa del sentiment. Fins i tot contra un artista tan consumat com ara Cézanne es van arribar a fer acusacions lliurement. Tanmateix, són dards que erren el tret, perquè l'objectiu d'aquests artistes no és mostrar com són destres ni proclamar-ne els coneixements, sinó únicament mirar d'expressar determinades experiències espirituals a través de formes pictòriques i plàstiques; i, en comunicar-les, és probable que l'ostentació d'habilitat sigui més funesta que no la incapacitat palesa".

¿Fins a quin punt les paraules d'aleshores de Roger Fry no sols arriben fins a Hodgkin sinó també –d'una determinada manera prou decisiva– articulen amb un sentit original la via més fecunda de modernització de l'art britànic en el XX? Val a dir que plantejar-se aquesta qüestió no és cosa mancada de sentit, ja que tradicionalment l'art britànic no sols ha elaborat uns senyals d'identitat propis i peculiars, sinó que en l'època contemporània s'han accentuat... Evidentment, aquesta peculiaritat accentuada, a partir del XIX, ho és davant París, la qual cosa no s'ha de traduir sense més ni més en motiu d'orgull. De fet, la naturalesa cosmopolita de l'avantguarda ha condemnat aquestes desviacions, de vegades massa indiscriminadament, com a reaccions provincianes. En aquest sentit, malgrat la precocitat i, sobretot, la qualitat de la moderna escola paisatgística britànica, sorprèn el triomf repatani d'una línia acadèmica tot al llarg del XIX gairebé sencer i la manca de cohesió aparent que es dóna entre les escasses reaccions que produeix aquest triomf per part d'unes quantes figures aïllades, que no es troben al marge de l'avantguarda parisenca, però que tampoc no secunden servilment les seves posicions. Potser, on es pot percebre més aquesta situació és en l'absència quasi total d'impressionisme en la pintura britànica, malgrat els antecedents locals, com és ara Constable o Turner, i malgrat la presència circumstancial a les illes de Monet i Pisarro; o, en fi, malgrat també el paper d'enllaç que hi pogué jugar el nord-americà britanitzat James McNeill Whistler.

Aquesta resistència en contra de l'impressionisme, la qual va poder semblar –i fonamentalment semblà– una reacció provinciana en oposició a la modernitat, mereix una revisió. I cal buscar la clau de la revisió, tal com ho veig, precisament en aquesta aposta postimpressionista sostinguda per Roger Fry, que se'n sortí en la proposició dels únics models francesos viables per fer emergir, en termes moderns, la sensibilitat local. Models com ara Cézanne, Van Gogh i Gauguin, dels quals la forta empatia expressionista, el simbolisme, el sentit sintètic en la construcció de la figura, la revaloració del dibuix, etc., s'ajustaven més bé a la càrrega romàntica inercial de l'art britànic que no el naturalisme fenomenista de l'impressionisme pur.

En aquest punt resulta obligat citar una altra volta Roger Fry, amb qui Howard Hodgkin –ho direm de passada– va estar relacionat per lligams familiars i amb qui, sobretot, mantingué una filiació estètica. Citaré Fry en aquesta ocasió no sols perquè és qui millor va raonar la situació de l'art anglès en aquest moment crucial de l'arrencada del XX, sinó perquè ell mateix forní una alternativa per sortir d'allò que en diríem situació *d'impasse* provincià en què es trobava, alternativa que –hi insisteixo– crec que posa llum sobre l'actitud que anys a venir Hodgkin haurà de sostenir. "A Anglaterra –va escriure Fry al capítol "Retrospectiva" (1920) del seu cèlebre assaig *Visió i disseny*– l'art és de vegades insular, de vegades provincià. El moviment pre-rafaelista va ser fonamentalment un producte autòcton. Durant els anys de la meva infantesa ressonaven els ecos darrers d'aquesta notable explosió, però quan vaig començar a estudiar seriosament art per primer cop, la part essencial del moviment ja era provinciana. Després dels habituals vint anys d'endarreriment, la provinciana Anglaterra es va assabentar de l'existència del moviment impressionista a França, i els pintors més joves, que prometien, treballaren sota la influència de Monet. N'hi va haver que fins formularen teories sobre el naturalisme en la forma més literal i extrema. Al mateix temps, però, Whistler, l'impressionisme del qual posseïa un segell molt diferent, havia apuntat la idea de l'art merament decoratiu, i, potser amb massa arrogància, en el seu *Ten o'clock* havia intentat prescindir de la teranyina dels problemes ètics, deformats per prejudicis estètics, que el pensament de Ruskin, exhuberant i mal regulat, havia teixit per al públic britànic. Els naturalistes no van fer cap esforç per explicar la raó per què la imitació exacta i literal de la natura podia satisfer l'esperit humà, i els decoradors no van saber pas distingir entre les sensacions agradables i la significació imaginativa."

Entre el naturalisme i l'esteticisme Fry va proposar, amb un terme que ell va encunyar, postimpressionisme, continuar pel camí obert per Van Gogh, Cézanne i Gauguin, alhora que reclamava una nova definició de l'art com a "expressió d'una emoció". "Jo pensava –puntualitza una mica més endavant– que la forma de l'obra d'art n'era la qualitat més essencial, però creia que aquesta forma era el resultat directe d'una percepció d'alguna emoció de la vida real per part de l'artista, encara que, sens dubte, aquesta percepció era d'una mena especial i pròpia, i implicava un cert distanciament."

Doncs bé, al marge de la influència operativa que aquestes opinions de Fry exerciren sobre l'art anglès del primer terç del segle XX, crec que expliquen essencialment l'actitud de Howard Hodgkin, el qual, a més, ha decantat els gustos i preferències artístiques precisament per aquesta línia de postimpressionisme francès encarnada entre altres per Bonnard i, en el seu propi cas, sobretot per Vuillard. Per poder explicar el clima no sols estètic sinó moral de les inclinacions de Hodgkin, l'experiència de *The artist's eye*, que s'organitza a la National Gallery de Londres, pot servir d'ajut. Consisteix que un artista britànic seleccioni, munti i comenti, dins del marc d'una petita exposició, un conjunt de quadres triats dels riquíssims fons d'aquesta important pinacoteca. Hodgkin va tenir l'oportunitat de fer-ho l'estiu del 1979. Va triar els artistes següents: Delacroix, Renoir, Tiepolo, Velázquez, l'anomenat Mestre del Bambino Vispo, Mantegna, Manet, Carel Fabritius, Vuillard, Laurent de la Hire i una miniatura anònima de l'escola Moghul, artistes que esmento en l'ordre disposat al catàleg de l'exposició. Juntament amb aquests artistes i en el context

de la mostra, Hodgkin situà un parell de quadres seus, *Dinner at Smith Square* (1978-79) i *Mr. and Mrs. E.J.P.*, sense data.
Tret de Vuillard, no cal ser expert en Hodgkin per comprendre que no va fer la selecció guiat exclusivament per les seves preferències estrictes com a pintor. Si ho hagués fet, no ens podríem explicar com no hi trià cap mestre del classicisme francès, com és ara Poussin o Ingres, ni Degas, Bonnard o Matisse, que esmentem a tall d'exemples molt significatius al cas. Si se'm permet, encara un altre cop, tornar a Roger Fry i la seva apassionada defensa d'allò que anomenava aquella "concentració clàssica en el sentiment", típica, per a ell, de la pintura francesa de totes les èpoques: "Un esperit clàssic d'aquesta mena és comú a la millor obra francesa de tots els períodes, des del segle dotze endavant, i encara que ningú no hi podria trobar reminiscències directes d'un Nicolau Poussin, el seu esperit sembla que reviu en l'obra d'artistes com ara Derain. És bastant natural que la intensitat i la resolució amb què aquests artistes es lliuren a determinades experiències davant la natura facin que la seva obra sembli estranya a aquells que no tenen el costum de la visió contemplativa; per part nostra, però, que com a nació solem tractar de les nostres emocions, especialment les estètiques, amb una certa frivolitat, fóra imprudent acusar-los de caprici o manca de sinceritat. Gràcies a aquesta concentració clàssica de sentiment (que de cap manera no significa abandó) els francesos es mereixen la nostra més seriosa atenció. Això és el que fa que el seu art resulti difícil en una primera aproximació, però hi atorga un arrelament perdurable en la imaginació."
Una concentració clàssica en el sentiment o la regla que corregeix l'emoció són, no cal dir-ho, termes estètics que s'adiuen perfectament amb la personalitat i l'obra de Hodgkin, encara que és possible que en el seu cas –no és pas debades que el pintor és anglès– els extrems dialèctics es carreguen amb una peculiar intensitat. Cal que ara afegim que Hodgkin, com Fry mateix, posseeix una refinadíssima cultura visual i ha conreat la passió del col·leccionisme com a notabilíssim expert, fins al punt que ha estat nomenat membre del Board of Trustees de la Tate Gallery des del 1970, i de la National Gallery des del 1978. ¿Per què, doncs, un tan culte, refinat i expert *connaisseur* i col·leccionista, a més de pintor, quan hom li ofereix allò que en diríem l'oportunitat de la vida per seleccionar el seu panteó particular de mestres, decideix fugir d'estudi? Encara que ell no ho hagués explicat, tal com queda palès a l'escrit personal que inclou el catàleg de l'exposició de la National Gallery, estaríem constrets a deduir-ho en funció d'aquesta aparentment estranya tria, que, tot i així, no ho és pas tant si l'analitzem en funció d'una cosa tan primordial en un artista que contempla habitualment un museu i frisa amb el desig de posar a prova, més que no noms, obres provocadorament emmordassades per les circumstàncies.
Per fer que una obra parli, fins i tot la pitjor, perquè per a un creador no hi ha cap obra que sigui tan dolenta que no mereixi una conversa esclaridora, cal sacsejar-la posant-la cap per avall, abaixant-la a ran de terra o modificant-hi el punt de vista establert fins que sigui capaç de dir tot allò que hagi de dir de bo o de dolent. Això és obvi, però no sols des d'un punt de vista genèric, sinó des de la peculiar forma tangencial amb què Hodgkin sembla mirar la realitat i l'art, font d'emocions paral·leles. Al capdavall de totes aquestes manipulacions interessades, que s'assemblen a un interrogatori compulsiu i desesperat, s'albira la necessitat peremptòria de materialitzar la força virtual de l'obra, de fer-li dir allò que sembla que serva només per a ella, com un as o un drama a la màniga.
En cada quadre triat, Hodgkin s'interroga sobre un enigma o hi respon, amb la qual cosa és l'enigma –i

no sols la inclinació davant l'excel·lència– l'objecte de la seva preocupació en pintura. ¿Per què, doncs, ens ha d'estranyar que ell mateix en pinti, d'enigmes, o, més aviat, ho faci girar tot a l'entorn de la captació i la plasmació pictòrica de la miraculosa evidència enigmàtica? Arribem en un punt essencial en la poètica de Hodgkin, que no per la naturalesa equívoca que posseeix deixa de posar l'única llum possible sobre la seva manera de ser i la seva forma de pintar, una forma de pintar que, com s'ha assenyalat, ens proporciona sensacions abstractes a partir de continguts anecdòtics de naturalesa inapel·lablement figurativa.

Els quadres de Hodgkin són, en general, petits i amb suport dur, una superfície de fusta. D'altra banda, si les dimensions reduïdes i la duresa de la superfície on estan pintats ens indiquen una tendència cap a la concentració més intensa, la invasió pictòrica dels marcs, també pintats, encara que amb allò que podríem anomenar justament un marc de ressonància pictoricista, ens obliga a admetre l'existència d'una força complementària i contradictòria d'expansió. El mòbil és una emoció enfront d'una vivència, i el mitjà una elaboració esforçada que discrimina incessantment, un treball lent el resultat del qual és una essència o no és res. I en aquesta lluita a l'encalç de les essències l'efecte final és que no hi ha res de més essencial que la tensió.

Hodgkin viu i pinta amb intensitat, però no té pressa. Els colors són violents i les formes, les té sotmeses a una vibració que crea una atmosfera sensual, roent, recarregada, espessa. Tot sembla pla i dur, i tot, alhora, ha de donar el màxim rendiment il·lusionista de profunditat i d'atmosfera. Segons com, els seus quadres són ex-vots amb una narrativa soterrada pel flux de sensacions i emocions, que contenen virtualment el secret d'una història irrepetible. Tal com Fry exigia, un quadre és una forma, però no hi ha formes deshabitades per l'emoció. Aquesta és, doncs, una tessitura que no persuadeix, sinó que tot just aclapara.

Això no obstant, a la vida i a l'art hi ha moltes i variades maneres de sentir-se aclaparat, però el veritable problema creatiu és transformar aquest aclaparament, que prou bé podríem anomenar embriaguesa, en un ordre pictòric. És això exactament el que ha intentat i continua intentant Howard Hodgkin, a poc a poc i sense pausa. El contrapunt que genera en cada quadre entre l'emoció desencadenant i aquella estricta regla que s'ha de manifestar només amb l'ajut del llenguatge pictòric, transforma la seva obra en una força centrípeta que absorbeix l'espectador cap als perillosos penya-segats de formes emboirades al lluny, però de perfils secs de la vora estant. En certa manera, el cant de la sirena i l'accident mortal sotgen en cada quadre de Hodgkin, líric i despietat. Mà de ferro en guant de seda: pot ser una bona descripció d'aquests paisatges embriagadors dels quals l'hermètic enigma refulgeix com els encants d'un jardí prohibit. Abans citava l'opinió de Fry sobre aquella concentració clàssica en el sentiment, característica de la millor tradició francesa, i no se m'acut res de millor per definir la pintura de Hodgkin que aquesta llegenda invertida, és a dir: un sentiment violentament abocat a l'encalç de la concentració clàssica, com una taula de salvació.

Francisco Calvo Serraller
Traducció: Jordi J. Serra

Llista d'obres exposades

1.
Grup familiar, 1973
Family Group
Oli sobre fusta
91,5 × 106,7 cm
Col·lecció Saatchi, Londres

2.
Petit Henry Moore al fons del jardí, 1975-1977
Small Henry Moore at the Bottom of the Garden
Oli sobre fusta
52,7 × 53,4 cm
Col·lecció particular

3.
Un Henry Moore al fons del jardí, 1975-1977
A Henry Moore at the Bottom of the Garden
Oli sobre fusta
102,9 × 102,9 cm
Col·lecció Saatchi, Londres

4.
Després de sopar, 1976-1977
After Dinner
Oli sobre fusta
76,2 × 98 cm
Col·lecció Graham Gund, Estats Units

5.
Al carrer Alexander, 1977-1979
In Alexander Street
Oli sobre fusta
45,1 × 50,8 cm
Col·lecció particular
Cortesia Galeria L.A. Louver, Venice

6.
La lluna, 1978-1980
The Moon
Oli sobre fusta
44,7 × 55,8 cm
Col·lecció R.B. Kitaj

7.
A partir de Corot, 1979-1982
After Corot
Oli sobre fusta
36,8 × 38,1 cm
Col·lecció particular, Los Ángeles
Cortesia Galeria L.A. Louver, Venice

8.
Després del sopar a Smith Square, 1980-1981
After Dinner at Smith Square
Oli sobre fusta
91,5 × 106,7 cm
Col·lecció Saatchi, Londres

9.
Figura dorment, 1980-1982
Sleeping Figure
Oli sobre fusta
22,3 × 29,5 cm
Col·lecció Terence McInerney, Nova York

10.
Adéu a la badia de Nàpols, 1980-1982
Goodbye to the Bay of Naples
Oli sobre fusta
55,9 × 66,7 cm
Col·lecció particular, Estats Units

11.
Anècdotes, 1980-1984
Anecdotes
Oli sobre fusta
57,8 × 73 cm
Col·lecció particular, Londres

12.
Despertant a Nàpols, 1980-1984
Waking up in Naples
Oli sobre fusta
59,7 × 74,9 cm
Col·lecció particular

13.
Passió, 1980-1984
Passion
Oli sobre fusta
32 × 55 cm
Galeria Waddington, Londres

14.
Llençols nets, 1982-1984
Clean Sheets
Oli sobre fusta
55,9 × 91,2 cm
Col·lecció Saatchi, Londres

15.
Lluna fosca, 1982-1984
Dark Moon
Oli sobre fusta
Diàmetre: 31,4 cm
Col·lecció Luther W. Brady

16.
Arc de Sant Martí, 1983-1985
Rainbow
Oli sobre fusta
53 × 53,5 cm
Col·lecció Holly Hunt

17.
A Central Park, 1983-1986
In Central Park
Oli sobre fusta
48,3× 63,5 cm (ovalada)
Galeria Waddington

18.
Vista des de Venècia, 1984-1985
View from Venice
Oli sobre fusta
23,9 × 47 cm
Col·lecció particular

19.
Vidre venecià, 1984-1987
Venetian Glass
Oli sobre fusta
34,3 × 42,5 cm
Col·lecció Galeria Iris Wazzau, Davos

20.
Pluja de Venècia, 1984-1987
Venice Rain
Oli sobre fusta
58,4 × 58,4 cm
Col·lecció particular, Estats Units

21.
Llacuna de Venècia, 1984-1987
Venice Lagoon
Oli sobre fusta
45,1 × 55,9 cm
Col·lecció particular

22.
Llac de tardor, 1984-1987
Autumn Lake
Oli sobre fusta
35 × 45,7 cm
Col·lecció Provincia Regionale di Messina, Itàlia

23.
Ombres de Venècia, 1984-1988
Venice Shadows
Oli sobre fusta
41,3 × 46,4 cm
Col·lecció Laura i Barry Townsley, Londres

24.
Palmera blava, 1985-1986
Blue Palm
Oli sobre fusta
27,9 × 33 cm (ovalada)
Col·lecció Sr. i Sra. John T. Chiles

25.
Fulles, 1987-1988
Leaves
Oli sobre fusta
50,2 × 65,4 cm
Col·lecció Renee Nelson

26.
Aigua grisa de Venècia, 1988-1989
Venice Grey Water
Oli sobre fusta
26 × 29,5 cm
Col·lecció particular

27.
Posta de sol a Venècia, 1989
Venice Sunset
Oli sobre fusta
26 × 30 cm
Col·lecció particular

Biografia i exposicions

Dades biogràfiques

1932 Neix el 6 d'agost a Londres.
1940-43 Viu als Estats Units.
1949-50 Estudia en la Camberwell School of Art, Londres.
1950-54 Estudia a la Bath Academy of Art, Corsham.
1954-56 Ensenya en la Charterhouse School.
1956-66 Ensenya a la Bath Academy of Art, Corsham.
1966-72 Ensenya en la Chelsea School of Art, Londres.
1970-76 Membre del Patronat de la Tate Gallery, Londres.
1976 Rep el segon premi de l'exposició John Moores, Liverpool.
1976-77 Artista resident al Brasenose College, Oxford; conferenciant convidat a la Slade School of Art i Chelsea School of Art, Londres.
1977 Premi C.B.E.
1978-85 Membre del Patronat de la National Gallery, Londres.
1980 Rep el segon premi de l'exposició John Moores, Liverpool.
1984 Participa a la Biennal de Venècia (Pavelló britànic).
1985 Rep el premi Turner otorgat per la Tate Gallery, Londres. Obté el doctorat de lletres, Universitat de Londres.
1988 Membre honorari del Brasenose College, Oxford.

Exposicions individuals

1962 Arthur Tooth and Sons, Londres.
1964 Arthur Tooth and Sons, Londres.
1967 Arthur Tooth and Sons, Londres.
1969 Galeria Kasmin, Londres.
1970 Galeria Arnolfini, Bristol.
Dartington Hall, Devon.
1971 Galeria Muller, Colònia.
Galeria Kasmin, Londres.
Galeria Park Square, Leeds (gravats).
1972 Galeries Waddington, Londres (gravats).
Galeria Arnolfini, Bristol (gravats).
1973 Galeria Kornblee, Nova York.
1975 Galeria Arnolfini, Bristol (gravats).
1976 Museum of Modern Art, Oxford.
Galeria Serpentine, Londres.
Galeria Turnpike, Leigh, Lancashire.
Galeria Laing, Newcastle-upon-Tyne.
Galeria d'Art Aberdeen.
Galeria d'Art Graves, Sheffield.
Galeries Waddington/Kasmin, Londres.
Tate Gallery, Londres (gravats).
1977 Museum of Modern Art, Oxford (gravats).
Elizabeth House Museum, Great Yarmouth.
Andre Emmerich, Nova York.
Galeria Andre Emmerich, Zuric.
1978 Riverside Studios, Londres (gravats).
British Council porta l'exposició a l'Índia (gravats).
1980 Galeries Waddington, Londres (gravats).
Bernard Jacobson, Nova York (gravats).
1981 M. Knoedler and Co., Nova York.
Bernard Jacobson, Los Ángeles (gravats).
Bernard Jacobson, Londres (gravats).
Galeries Macquarie, Sydney, Austràlia.
British Council porta l'exposició a Austràlia (gravats).
1982 Bernard Jacobson, Londres (gravats).
Tate Gallery, Londres.
Galeria Jacobson-Hochmann, Nova York (gravats).
M. Knoedler and Co., Nova York.
Petersburg Press, Nova York (gravats).
1984 M. Knoedler and Co., Nova York.
British Pavilion, Biennal de Venècia.
Col·lecció Phillips, Washington D.C.
1985 Yale Center for British Art, New Haven, Connecticut.
Kestner-Gesellschaft, Hannover.
Galeria d'Art Whitechapel, Londres.
Galeria L.A. Louver, Venice, Califòrnia.
Tate Gallery, Londres (gravats).
Galeria d'Art Albright-Knox, Buffalo (gravats).
1986 M. Knoedler and Co., Nova York.
1987-88 Exposició itinerant del British Council per Brasil, Uruguai i Xile (gravats).
1988 Galeries Waddington, Londres.
M. Knoedler and Co., Nova York
1989-90 Exposició itinerant del British Council per Espanya, Marroc i Grècia (gravats).
1990 "Howard Hodgkin: Petits formats. 1975-1989", Musée des Beaux-Arts, Nantes.
"Howard Hodgkin. Petits formats. 1975-1989", Centre Cultural de la Fundació Caixa de Pensions, Barcelona.

Exposicions col·lectives

1959 "The London Group", Galeries R.B.A., Londres.
1960 "The London Group", Galeries R.B.A., Londres "Contemporary Painting", Galeria d'Art Bristol City.
1961 "The London Group", Galeries R.B.A., Londres "contrasts", Galeria A.I.A., Londres.
1962 "Two Young Figurative Painters" (amb Allen Jones), Galeria I.C.A., Londres;
"British Painting and Sculpture, Today and Yesterday", Arthur Tooth and Sons, Londres;
"Britisk Kunst", Sammenslutningen Af Danske Kunstforeininger 1962-63, exposició itinerant per Dinamarca;
"Picture Fair", Galeria I.C.A., Londres.
1963 "Critic's Choice", Galeria The Stone, Newcastle; "One Year of British Art", Arthur Tooth and Sons, Londres; "Red, White, Blue", Yorkshire House, Leeds; "British Painting in the Sixties", Tate Gallery, Londres i Whitechapel Art Gallery, Londres, organitzada per la Contemporary Art Society.

1964 "Britische Malerei der Gegenwart", Kunsthalle, Dusseldorf, exposició itinerant per Alemanya;
"Profile III: Englische Kunst der Gegenwart", Städtische Kunstgalerie, Bochum;
"Nieuwe Realisten", Gemeente Museum, la Haia, exposició itinerant a Viena;
"Figuratie en Defiguratie", Museum voor Schone Kunsten, Gant;
"The New Image", Galeria Arts Council, Belfast;
"I.C.A. Screen-Print Project", Galeria I.C.A., Londres; "Neue Realisten and Pop Art", Akademie der Kunst, Berlín; "New Painting 61-64", Arts Council exposa en la Society of Arts, Birmingham, itinerant per Gran Bretanya des de 1965 a 1966.

1965 "British Painters", Arthur Tooth and Sons, Londres; "London: The New Scene", Walker Art Center, Minneapolis, en associació amb el British Council i la Fundació Calouste Gulbenkian, itinerant a Washington Gallery of Modern Art, D.C.; Insitute of Contemporary Art, Boston; Seattle Art Museum Pavilion; Vancouver Art Gallery; Art Gallery of Toronto; National Gallery of Canada, Ottawa; "Corsham Painters and Sculptors", exposició itinerant per l'Arts Council a Dartington College of Art, Devon; Galeria d'Art Graves, Sheffield; Galeria d'Art Walsall; Arts Council Gallery, Cconridge; Galeria d'Art Middlesborough; "Print Fair", Galeria I.C.A., Londres; "Pop Art, Nouveau Realisme", Palais des Beaux-Arts, Brussel·les.

1966 "New Painting 61-64", Cumberland House Museum, Southsea, exposició itinerant per l'Arts Council per tota Anglaterra;
"Colour, form and texture", Arthur Tooth and Sons, Londres;
"London Under Forty", Galeria Milano, Milà.

1967 "París Biennale", Musée d'Art Moderne de la Ville de París;
"Recent British Painting: Peter Stuyvesant Foundation Collection", Tate Gallery, Londres.

1968 "First Triennale India", Lalit Kala Akademi, Nova Delhi; "Arte Moltiplicata", Galeria Milano, Milà; "The Ind Coope Art Collection", exposició itinerant per l'Arts Council a Oldham Public Library; Sunderland Museum and Art Gallery Library; Galeria d'Art Gray, Hartlepool; Northampton Museum and Art Gallery; Stafford Central Library, Museum and Art Gallery; Birmingham City Museum and Art Gallery; Winchester School of Art; Wolverhampton Municipal Art Gallery and Museum; Cardiff Arts Council Gallery;
"Mostra Mercato d'Arte Contemporanea: English Galleries", Palazzo Strozzi, Florència;
"British International Print Biennale", Cartwright Hall, Bradford, and Bradford City Museum and Art Gallery; "Prospect", Städitsche Kunsthalle, Dusseldorf.

1969 "Artists from the Kasmin Gallery", Arts Council Gallery, Belfast;
"Pop Art Graphics", Carnegie Festival of Music and the Arts, Londres;
"Festival International de la Peinture", Cagnes sur Mer, França.

1970 "Contemporary British Art", The National Museum of Modern Art, Tòquio, en col·laboració amb el British Council.

1971 "Critic's Choice", Arthur Tooth and Sons, Londres; "Art Spectrum South", exposició itinerant per l'Arts Council a Southampton City Art Gallery; Folkestone Arts Centre; Royal West of England Academy, Bristol.

1972 "Britisk Maleri 1945-70", exposició itinerant pel British Council a Kunstnerforbunder, Noruega; Trondhjems Kunstforening; Bergens Kunstforening; "New English Prints", Galeria Staedler, París; "John Moores. Liverpool Exhibition 8", Galeria d'Art Walker, Liverpool Exposició de grup, Galeria Kasmin, Londres; "Howard Hodgkin, John Hoskin", Galeria Arnolfini, Bristol; "Contemporary Prints", Ulster Museum, Belfast, en col·laboració amb Galeries Waddington, Londres; "40 Christmas Trees", Galeria Arnolfini, Bristol.

1973 "David Hockney, Howard Hodgkin", Ashgate Gallery, Farnham; "La Peinture Anglaise Aujourd'hui", Musée d'Art Moderne de la Ville de París;
"British Artists. Prints 1961-70", National Museum, Malta; "Henry Moore to Gilbert and George - Modern British Art from the Tate Gallery", Palais des Beaux-Arts, Brussel·les.

1974 "Contemporary British Painters and Sculptors", Galeria Lefevre, Londres; "John Moores. Liverpool Exhibition 9", Galeria d'Art Walker, Liverpool; "Tokyo Biennale - First International Biennale Exhibition of Figurative Paintings in Tokyo", Shibuya Tokyo Department Store, i itinerant al Hanshin Department Store, Osaka;
"British Painting '74'", Galeria Hayward, Londres.

1975 "Contemporary Art Society Art Fair", Galeries Mall, Londres;
"Mid Seventies: A Selection of Paintings and Graphics from Britain", Bayer Erholungshaus, Leverkusen i itinerant a Hoechst Jahrhunderthalle; "The British Are Coming - Contemporary British Art", De Cordova Museum, Lincoln, Massachusetts; "Art 6 Basel - British Exhibition", Schweizer Mustermesse, Basilea;
"Third Trinnale India", Lalit Kala Akademi, Nova Delhi.

1976 "Peintres et Sculpteurs Britanniques", Centre Culturel de la Ville de Toulouse;
"Graphics '76: Britain", University of Kentucky Art Gallery, Lexington, i itinerant a Mason County Museum, Maysville, Kentucky; University of Wisconsin, Fine Arts Galleries, Milwaukee; East Tennessee State University; Caroll Reece Museum, Johnson City;
"A Selection from the Print Department", Tate Gallery, Londres;
"John Moores. Liverpool Exhibition 10", Galeria d'Art Walker, Liverpool;
"The Human Clay", Galeria Hayward, Londres, i itinerant a Leeds Polytechnic; Galeria d'Art Middlesborough; Edinburgh National Gallery of Modern Art; Carlisle Museum and Art Gallery; Derby Museum and Art Gallery; Galeria Ikon, Birmingham; Galeria Oriel, Cardiff; Galeria d'Art Bangor; Galeria d'Art Herbert, Coventry; University of East Anglia, Norwich.

1977 "Hayward Annual", Galeria Hayward, Londres; "British Artists of the Sixties from the collections of the Tate Gallery", Tate Gallery, Londres; "British Painting 1952-77", Royal Academy of Arts, Londres.

1978 Exposicions en grup, Galeria Knoedler, Londres; "Groups", Galeries Waddington i Tooth, Londres; "Critic's Choice", Galeria I.C.A., Londres; "Howard Hodgkin, Alistair Crawford", Galeria Ian Birksted, Londres (gravats);
"John Moores. Liverpool Exhibition 11", Galeria d'Art Walker, Liverpool.

1979 Exposicions mixtes, Galeria Knoedler, Londres; "Todays Britiskt 60-och 70-tal", Lunds Konsthall, Suècia; "Third Biennale of Sydney: European

Dialogue", Art Gallery of New South Wales, Sydney;
"Contemporary Art for 17 Charterhouse Street", Galeries Mall, Londres, organitzada per la Contemporary Art Society;
"The Artist's Eye", National Gallery, Londres; "Works from the early '60's", Galeria Knoedler, Londres; "Narrative Painting: Figurative Art of Two Generations", Galeria Arnolfini, Bristol, i itinerant a Galeria I.C.A., Londres; City Museum and Art Gallery, Stoke on Trent; Galeria Fruitmarket, Edimburg;
"This Knot of Life", Galeria L.A. Louver, Los Ángeles; "Peter Moores. Liverpool Project 5: The Craft of Art", Galeria d'Art Walker, Liverpool; "The British Art Show", exposició itinerant per l'Arts Council a Galeria d'Art Mappin, Sheffield; Laing Art Gallery and Museum, Newcastle; Galeria Hatton, University of Newcastle; Galeria Arnolfini, Bristol; Royal West of England Academy, i City Museum and Art Gallery, Bristol; "The Christmas Show", Galeria Ian Birksted, Londres (gravats); "The Deck of Cards", exposició itinerant pel British Council juntament amb Andrew Jones Art, Londres.

1980 "Pictures for an Exhibition", Galeria d'Art Whitechapel, Londres; "Changing Summer Exhibition", Galeria Knoelder, Londres; "Hayward Annual", Galeria Hayward, Londres; "John Moores. Liverpool Exhibition 12", Galeria d'Art Walker, Liverpool.

1981 "A New Spirit in Painting", Royal Academy, Londres; "Mixed Exhibition of Small Pictures", Galeria Knoedler, Londres;
"Landscape: The Printmaker's View", Tate Gallery, Londres; "Alistair Smith: A Personal Selection", Ulster Museum, Belfast;
"New concepts for a New Art - Toyama Now '81'", Museum of Modern Art, Toyama, Japó;
"Recent Prints by Six British Painters", Tate Gallery, Londres;
"13 Britische Kunstler: Eine Ausstellung uber Malerei", Neue Galerie-Sammlung Ludwig, Aquisgrà, itinerant a Kunstverein Mannheim; Kunstmuseum Chur; Kunstverein Braunschweig;
"Diluted Abstractions: Richard Phipps, Howard Hodgkin", Galeria Ivory/Kimpton, San Francisco;
"A Mansion of Many Chambers: Beauty and Other Works", exposició itinerant per l'Arts Council a Cartwright Hall, Bradford; Galeria d'Art Oldham; Gardner Centre Gallery, Brighton; Minories, Colchester; Galeria d'Art Mappin, Sheffield; Galeria d'Art City, Worcester.

1982 "Aspects of British Art Today", Tokyo Metropolitan Art Museum, i s'itinera a Tochigi Prefectural Museum of Fine Art, Utsunomiya; National Museum of Art, Osaka; Fukuoka Art Museum; Hokkaido Museum of Modern Art, Sapporo "Howard Hodgkin, Norman Adams", Galeria Oxford (gravats) "Big Prints by European and American Artists", exposició itinerant per l'Arts Council a Galeria d'Art Southampton; Galeria Fruitmarket, Edimburg, Central Museum and Art Gallery, Dudley; Galeria Cooper, Barnsley; Galeria d'Art Wolverhampton.

1983 "Movement (II of three exhibitions about Painting)", exposició itinerant per l'Arts Council a Galeria d'Art Graves, Sheffield; Galeria d'Art Laing, Newcastle; Castle Museum, Norwich; Bolton Museum and Art Gallery; "Acquisition Priorities: Aspects of Postwar Painting in Europe", Solomon R. Guggenheim Museum, Nova York.

1984 "Four Rooms", Liberty and Co., Londres, exposició de l'Arts Council; "Hard Won Image", Tate Gallery, Londres; "An International Survey of Recent Paintings and Sculpture", Museum of Modern Art, Nova York; "The British Art Show: Old Allegiances and New Directions 1979-1984", exposició itinerant per l'Arts Council a City of Birmingham Museum and Art Gallery; Galeria Ikon, Birmingham; Royal Scottish Academy, Edimburg; Galeria d'Art Mappin, Sheffield; Galeria d'Art Southampton;
"The Proper Study: contemporary Figurative Painting from Britain", exposició itinerant pel British Council a l'India;
"Artists Design for Dance 1909-1984", Galeria Arnolfini, Bristol.

1985 "Carnegie International", Museum of Art, Carnegie Institute, Pittsburgh; "Made in India", Museum of Modern Art, Nova York; "Rocks and Flesh", Norwich School of Art, Norwich.

1986 "The Window in Twentieth-Century Art", Neuberger Museum, Nova York;
"Forty Years of Modern Art 1945-1985", Tate Gallery, Londres;
"Studies of the Nude", Marlborough Fine Art, Londres.

1987 "British Art in the 20th Century", Royal Academy, Londres i itinerant a Staatsgalerie, Stuttgart;
"Current Affairs: British Painting and Sculpture in the 1980's", exposició itinerant pel British Council a Museum of Modern Art, Oxford; Mucsarnok, Budapest; Galeria Narodni, Praga; Zacheta, Varsòvia.

1988 "The British Picture", Galeria L.A. Louver, Venice, Califòrnia.

1989 "Bilderstreit", Rheinhallen, Messegelände, Colònia.

1990 "Glasgow's Great British Art Exhibition", Galeries McLellan, Glasgow.

Selecció de col·leccions públiques:

Arts Council of Great Britain, Londres
British Council, Londres
British Museum, Londres
The Carnegie Institute, Pittsburgh, Pennsilvània
Contemporary Arts Society, Londres
Col·lecció de pintura del Govern, Londres
Fogg Art Museum, Harvard University, Cambridge, Massachusetts
Louisiana Museum, Dinamarca
Museum of Modern Art, Nova York
National Gallery of South Australia, Adelaida
Col·lecció Peter Stuyvesant
Col·lecció Saatchi, Londres
The Saint Louis Art Museum, Missouri
Sao Paulo Museum, Brasil
The Tate Gallery, Londres
The Victoria and Albert Museum, Londres
The Walker Art Center, Minneapolis, Minnesota

Bibliografia

Escrits de l'artista i entrevistes

1966 Howard Hodgkin: "On Figuration and the Narrative in Art", ed. Jasia Reichardt, *Studio International*, vol. 172, setembre, pàg. 140.

1968 Howard Hodgkin: *"Recent British Painting"*, ed. Alan Bowness, catàleg de l'exposició de 1967, reeditat com a llibre, Londres, Lund Humphries.
Andrew Forge, Howard Hodgkin i Philip King: "The Relevance of Matisse", discussió en *Studio International*, vol. 176, juliol/agost, pàgs. 9-17.

1971 Howard Hodgkin: *Tate Gallery Report - Acquisitions 1968-70*, pàg. 89.

1972 Howard Hodgkin: *"Patrick Caulfield, Howard Hodgkin, Michael Moon"*, catàleg, Galeria Stadler, París, març-abril.

1976 Howard Hodgkin: *A Recorded Talk on his Paintings - Indian Views, screenprints and lithographs*, fulletó publicat pel British Council, novembre.

1977 Howard Hodgkin: *Towards Another Picture: An Anthology of writings by artists working in Britain* 1945-1977, eds.
Andrew Brighton i Lynda Morris, Midland Group, Nottingham, pàgs. 76-77, 96.

1978 Howard Hodgkin: "An Artist in Residence", *Oxford Art Journal*, vol. 1, octubre, pàgs. 36-37.
Timothy Hyman: Entrevista en *Artscribe*, núm. 15, desembre, pàgs. 25-28.

1979 Howard Hodgkin: *The Artist's Eye*, catàleg, National Gallery, Londres, juny/agost, pàg. 3.
Pat Gilmour: Entrevista no publicada al voltant de les impressions de Hodgkin, Arxiu de la Tate Gallery.

1981 Edward Lucie-Smith: Entrevista en *Quarto*, núm. 19, juliol, pàgs. 15-17.

1982 Howard Hodgkin: "How to be an Artist", *Burlington Magazine*, v. 124. setembre, pàgs. 552-554 (versió editada de la conferència commemorativa, donada al Slade School of Fine Art, University College, Londres, 15 de desembre de 1981).
Howard Hodgkin: *Six Indian Painters*, catàleg, Tate Gallery, Londres, abril/maig, pàg. 8.
Howard Hodgkin: "Artist's Notes" en *Howard Hodgkin, Indian Leaves*, Petersburg Press, Londres i Nova York, pàgs. 51-53.

1983 Howard Hodgkin: *Indian Drawing*, catàleg, Galeria Hayward, Londres, febrer-abril, pàgs. v-vi.

1984 David Sylvester: Entrevista a *Howard Hodgkin: Forty Paintings 1963-84*, Whitechapel Art Gallery, Londres.

Textos de catàlegs d'exposicions individuals

1962 Lucie-Smith, Edward: *Howard Hodgkin*, Arthur Tooth and Sons.

1976 Morphet, Richard: *Howard Hodgkin, Forty five paintings: 1949-75*, Arts Council de Gran Bretanya.

1977 Marcus, Penelope: *Howard Hodgkin, Complete Prints*, Museum of Modern Art, Oxford.

1981 Gowing, Lawrence: *Howard Hodgkin*, M. Knoedler and Co., Nova York.

1982 Compton, Michael: *Howard Hodgkin's Indian Leaves*, Tate Gallery, Londres.

1984 McEwen, John: *Howard Hodgkin: Forty Paintings* 1973-84, Galeria d'Art Whitechapel, Londres.

1990 Calvo Serraller, Francisco, Henry-Claude Cousseau i Timothy Hyman: *Howard Hodgkin: Petits formats.* 1975-1989, Centre Cultural de la Fundació Caixa de Pensions, Barcelona.

Articles de diaris i revistes

1962 Thompson, David: "Two Young Figurative Painters", *The Times*, 21 de febrer.
Mullins, Edwin: "Two Painters at Tooth's", *Apollo*, núm. 76, novembre, pàg. 714.
Denny, Robyn: "London Letter", *das Kunstwerk*, núm. 16, novembre-desembre, pàg. 80.
Whittet, G.S.: "Nature Still Gets in the Picture", *Studio*, vol. 164, desembre, pàg. 252.

1963 Melville, Robert: "Exhibitions", *Architectural Review*, vol. 133, abril, pàg. 290.
Lucie-Smith, Edward, "The Impact Makers", *Vogue*, agost Hodin, J.P.: "Londres: Pop-Art of Art", *Quadrum* 14, pàgs. 161-164.
Hodin, J.P.: "London Report", *Kunstwerk*, vol. 17, novembre, pàgs. 28-35.

1964 Coleman, Roger: "Up with the Jones's", *Arts Review*, vol. 16, 25 de gener/8 de febrer, pàg. 4.
Lynton, Norbert: "London Letter", *Art International*, vol. 8, 25 d'abril, pàg. 73.
Reichardt, Jasia: "Lettre de Londres", *Aujourd'hui*, núm. 45, abril, pàg. 64-65.

1965 Lucie-Smith, Edward: "Howard Hodgkin", *London Magazine*, vol. 4, març, pàgs. 71-75.
Melville, Robert: "Gallery: Objets d'Art", *Architectural Review*, vol. 137, abril, pàg. 293.
Reichardt, Jasia: "La Jeune Génération en Grande Bretagne", *Aujourd'hui*, núm. 50, juliol, pàgs. 68-81.

1966 Reichardt, Jasia: "On Figuration and the Narrative in Art", *Studio International*, vol. 172, setembre, pàg. 140.

1967 Brett, Guy: *The Times*, 11 de març de 1967.
Thompson, David: "Art", *Queen*, 15 de març.
Robertson, Bryan: "Howard's End?", *The Spectator*, 24 de març.
(Autor desconegut): "On Exhibition", *Studio International*, vol. 173, març, pàg. 157.
Lynton, Norbert: "London Letter", *Art International*, vol. 11, 20 d'abril, pàg. 196.
Lucie-Smith, Edward: "London Commentary", *Studio International*, vol. 173, abril, pàg. 146.
Russell, John: "Hodgkin Colour Locals", *Art News*, núm. 66, maig.

1969 Russell, John: *The Sunday Times*, 30 de març.
Melville, Robert: "Problem Solved", *The New Statesman*, 4 d'abril.
Brett, Guy: *The Times*, 10 d'abril.
Lynton, Norbert: *The Guardian*, 11 d'abril.
Field, Simon: "London: Objects - more or less", *Art* and *Artists*, vol. 4, abril, pàg. 57.
Russell, John: "London", *Art News*, vol. 68, maig, pàg. 43.
Kenedy, R.C.: "London Letter", *Art International*, vol. 13, estiu, pàg. 43.

Cusden, Norman, "John Moores' Jury", *Art* and *Artists*, vol. 4, desembre, pàg. 38.

1970 Shepherd, Michael: *The Sunday Telegraph*, 20 de setembre.
Rowan, Eric: "Private Lives", *The Times*, 1 d'octubre.
Richards, Bryn: "Bristol Art - Howard Hodgkin", *The Guardian*, 2 d'octubre.
Pryor, Auberry: "Modern Primitives", *Western Morning News*, 13 de novembre.

1971 Gosling, Nigel: "A Trio of Extremists", *The Observer*, 4 d'abril Russell, John: "The Life of Colours", *The Sunday Times*, 11 d'abril.
Marle, Judy: "Hodgkin", *The Guardian*, 19 d'abril.
Cork, Richard: "Art News: The English Game - keeping all options open", *Evening Standard*, 21 d'abril.
Hilton, Timothy: "UK Commentary", *Studio International*, vol. 181, juny, pàg. 268.
Feaver, William: "Exhibitionism", *London Magazine*, vol. 11, agost/setembre, pàgs. 112-120.

1972 Hackney, Arthur: "David Hockney, Howard Hodgkin", *Arts Review*, vol. 24, 26 de febrer.
Hardie, Shelagh: "Howard Hodgkin. John Hoskin", *Arts Review*, vol. 24, 1 de juliol, pàg. 398.

1973 Russell, John: "The English conquest", *The Sunday Times*, 11 de febrer.
Vaizey, Marina: "British Allsorts", *The Financial Times*, 19 de febrer.
Henry, Gerrit: *Art News*, vol. 72, març, pàg. 75.
Lubell, Ellen: *Arts Magazine*, vol. 47, abril, pàg. 82.
Denvir, Bernard: "London Letter", *Art International*, vol. 17, abril.
Battcock, Gregory: "New York", *Art* and *Artists*, vol. 8, juny, pàg. 51.
Clay, Julien: "La Peinture Anglaise Aujourd'hui", *XXe Siècle*, vol. 41, desembre, pàgs. 174-5.
Schwartz, Sanford: "New York Letter", *Art International*, vol. 17, maig, pàg. 42.
(Autor desconegut): *The New York Times*, 24 de febrer.

1975 Chaitanya, Krishna: "Triennale and a Thought of Nero", *Hindustan Times*, 21 de febrer.
(Autor desconegut): *Evening News*, (Delhi), 7 de febrer.
Malik, Keshav: "Arctics and Tropics", *Thought*, 22 de febrer, pàgs. 11-12.
Hyman, Timothy: "Howard Hodgkin", *Studio International*, vol. 189, maig/juny, pàgs. 180-3.
Tconé a *Studio International*, vol. 190, juliol/agost, pàg. 88.
Feaver, William: "All This and Real Beer, Too", *The Observer*, 19 d'octubre.
McEwen, John: "Howard Hodgkin", *The Spectator*, 8 de novembre.

1976 Haworth-Booth, Mark: "Salon and Workshop", *The Times Literary Supplement*, 19 de març.
Feaver, William: "Hodgkin's Intelligence Tests", *The Observer*, 21 de març.
(Autor desconegut): "Distinctive Work of Howard Hodgkin", *Acton Gazette*, 25 de març.
Overy, Paul: *The Times*, 30 de març.
Packer, William: "Keith Vaughan and Howard Hodgkin", *The Financial Times*, 30 de març.
Morris, Lynda: "Hodgkin and Caulfield", *The Listener*, 1 d'abril.
Overy, Paul: "Moores the Pity: Time to change the rules", *The Times*, 11 de maig.
Clifford, Jane: *Daily Telegraph* (Edició Manchester), 13 de maig.
Shepherd, Michael: "Multi-Coloured Dream Gear", *Sunday Telegraph*, 28 de març.
Vaizey, Marina: "Kaleidoscopes", *The Sunday Times*, 4 d'abril.
(Autor desconegut): "Discriminating Eye", *Daily Telegraph*, 1 de maig.
Osborne, Harold: "Howard Hodgkin", *Arts Review*, vol. 28, 14 de maig, pàg. 239.
McEwen, John: "Winning", *The Spectator*, 15 de maig.
Cork, Richard: "Every Blob Counts", *Evening Standard*, 20 de maig.
Vaizey, Marina: "British Understatement", *The Sunday Times*, 23 de maig.
Tisdall, Caroline: *The Guardian*, 27 de maig.
Ingham, Margo: "John Moores Liverpool Exhibition 10", *Arts Review*, 28 de maig, pàg. 264.
Robertson, Bryan: "Art", *Harpers* and *Queen*, maig, pàg. 76, 11 d'abril.
Feaver, William: "Art", *Vogue*, maig, pàg. 16.
Burr, James: "Round the Galleries: Bold Banalities", *Apollo*, vol. 103, maig, pàg. 444.
Morphet, Richard: "Howard Hodgkin: Assessment", *Studio International*, vol. 191, maig/juny, pàgs. 297-298.
Denvir, Bernard i Lavinia Learmont: "London", *Art* and *Artists*, vol. 11, juny, pàg. 41.
Cork, Richard: *The Guardian*, 20 de juliol.
Reichardt, Jasia: "Howard Hodgkin and Portraiture", *Architectural Design*, vol. 46, juliol, pàg. 444.
Crichton, Fenella: "London Letter", *Art International*, vol. 20, estiu, pàg. 14.
Cork, Richard: "Now We Know What They Like", *Evening Standard*, 5 d'agost.
del Renzio, Toni: "Pop", *Art* and *Artists*, vol. 11, agost, pàg. 15-19.
McEwen, John: "Howard Hodgkin at the Serpentine Gallery", *Art in America*, vol. 64, juliol/agost, pàg. 113.
(Autor desconegut): "Art: New Angles", Morning Telegraph (Sheffield), 27 de setembre.
Feaver, William: "England: Involvement, assiduity and an openness of mind", *Art News*, vol. 75, octubre, pàg. 33-34.

1977 (Autor desconegut): "More Indian Views", *Print Collector's Newsletter*, vol. 7, gener/febrer, pàg. 181.
Packer, William: "Tolly Cobbold/Eastern Arts Open Exhibition", *The Financial Times*, 18 d'abril.
Kitchen, Paddy: "Best of the Bunch?", *The Times*, 18 d'abril.
McEwen, Michael: "A Letter from London", *Artscanada*, vol. 34, maig/juny, pàgs. 31-32.
Shepherd, Michael: "Fabricated in Britain", *Sunday Telegraph*, 5 de juny.
Packer, William: "Current British Art", *The Financial Times*, 14 de juny.
Feaver, William: "Full House", *The Observer*, 24 de juliol.
Shepherd, Michael: "The Better Half", *Sunday Telegraph*, 24 de juliol.
Lucie-Smith, Edward: "Squeaks from the South Bank", *Evening Standard*, 28 de juliol.
Shepherd, Michael: "Second Time Luckier", *What's On In London*, 28 de juliol.

Maloon, Terence: "Anticlimax", *Time Out*, 29 de juliol - 4 d'agost.
McEwen, John: "Hardy Annual", *The Spectator*, 30 de juliol.
Vaizey, Marina: "The Best of British", *The Sunday Times*, 31 de juliol.
Packer, William: "The Hayward Annual. Part II", *The Financial Times*, 1 d'agost.
Overy, Paul: "Manifestations of contemporary Taste", *The Times*, 2 d'agost.
Mayes, Ian: *The Birmingham Post*, 4 d'agost.
"MR.": *Tribune*, 5 d'agost.
Daley, Janet: "Hayward Annual Part II", *Arts Review*, vol. 29, 5 d'agost, pàg. 509.
Quantrill, Malcolm, "London Letter", *Art International*, vol. 21, juliol/agost, pàg. 69.
Spalding, Frances: "Hayward Annual Part II", *Arts Review*, vol. 29, 5 d'agost, pàg. 508.
Hilton, Timothy: "South Bank-ruptcy", *The Times Literary Supplement*, 5 d'agost, pàg. 960.
Spurling, John: "Very Middling", *The New Statesman*, 12 d'agost.
Russell, John: "Tenacity Keeps British Art Alive", *The New York Times*, 25 de setembre.
Shone, Richard: "Gallery: Painting and Performance", *Architectural Review*, vol. 162, setembre, pàg. 184.
Faure Walker, James: "Ways of Disclosing: Mapping the Hayward Annual, Artscribe, núm. 8, setembre, pàgs. 20-26.
Frackman, Noel: "Howard Hodgkin/Stanley Boxer", *Arts Magazine*, vol. 52, novembre, pàg. 29.
Kuspit, Donald: "Howard Hodgkin at Emmerich", *Art in America*, vol. 65, novembre/desembre, pàg. 134.
(Autor desconegut): "Julian and Alexis", *Print Collector's Newsletter*, vol. 8, novembre/desembre, pàg. 144.
Spurling, John: "Lost Paths", *The New Statesman*, 23 de desembre.
"H.J.K.": "Emmerich in Zurich: Hodgkin and Hockney", *Basler Zeitung*, 31 de desembre.
Rubinfein, Leo: "Howard Hodgkin", *Artforum*, vol. 16, desembre.

1978 (Autor desconegut): "Spotlight: New Generations", *Vogue*, 15 de març, pàg. 127.
Hilton, Timothy: "Anthologist", *The Spectator*, 16 de setembre.
Russell-Taylor, John: "Quirky but Impersonal", *The Times*, 19 de setembre.
Bolton, Linda Lee: "Howard Hodgkin", *Arts Review*, vol. 30, 13 d'octubre, pàg. 155.
Januszczak, Waldemar: "A Train Has Run Out of Steam but Refuses to Stop for More Coal", *The Guardian*, 29 de novembre.
(Autor desconegut): "Green Château", *Print Collector's Newsletter*, vol. 9, novembre/desembre, pàg. 162.
Feaver, William: "A Matter of Ways and Means", *The Observer*, 3 de desembre.
Packer, William: "The 11th John Moores", *The Financial Times*, 5 de desembre.
McEwen, John: "Abstract Prizes", *The Spectator*, 9 de desembre.
Packer, William: "Critics Choice at the ICA", *The Financial Times*, 16 de desembre.
McEwen, John: "Four British Painters", *Artforum*, vol. 17, desembre, pàgs. 50-55.

1979 Sweet, David: "The John Moores", *Artscribe*, vol. 16, febrer, pàg. 53.
Packer, William: "Hodgkin's Eye at National Gallery", *The Financial Times*, 23 de juny.
Lucie-Smith, Edward: "Getting It All Together", *Evening Standard*, 4 de juliol.
MacKenzie, Andrew: "Painter's View of His Work", *Morning Telegraph*, 10 de juliol.
Shone, Richard Noel: *Burlington Magazine*, vol. 121, juliol, pàg. 456.
(Autor desconegut): "Prints and Photographs Published", *Print Collector's Newsletter*, vol. 10, juliol, pàg. 93.
Collis, Louise, i Lavinia Learmont: "London: The Artist's Eye", *Art* and *Artists*, vol. 14, agost, pàg. 43.
Boorsch, Suzanne: "New editions: Birthday Party and You and me", *Art News*, vol. 78, setembre, pàg. 42.
Volsky, Glen Sujo: "Narrative Painting 2: at Arnolfini", *Art Monthly*, núm. 30, octubre, pàgs. 19-21.
Crichton, Fenella: *Pantheon*, vol. 37, octubre, pàg. 326.
Muchnic, Suzanne: "British Artists Painting the Town", *Los Angeles Times*, 9 de novembre.
Feaver, William: "Crafty Stuff", *The Observer*, 16 de desembre.

1980 Feaver, William: "The State of British Art: It's a bewilderment", *Art News*, vol. 79, gener, pàgs. 62-68.
(Autor desconegut): "Prints and Photographs Published: 'For Bernard Jacobson'", *Print Collector's Newsletter*, vol. 10, gener, pàg. 201.
Searle, Adrian: "Narrative Paintings", *Artforum*, vol. 18, gener, pàg. 76.
Russell-Taylor, John: "The Painters' Choice of their Living Images", *The Times*, 1 d'abril.
Januszczak, Waldemar: "The Rediscovery of the Mixture as Before", *The Guardian*, 7 d'abril.
Berthoud, Roger: "Howard Hodgkin behind the Enemy's Lines", *The Times*, 17 d'abril.
Crichton, Fenella: "London", *Art* and *Artists*, vol. 15, juny, pàg. 43.
McEwen, John: "Pastiches", *The Spectator*, 13 de setembre.

1981 Shepherd, Michael: "New Spirit at the Academy", *What's On In London*, 9 de gener, pàgs. 38-39.
Cork, Richard: "Audacious, Outspoken - A spur for things to come", *New Standard*, 15 de gener.
Thomas, Denis: "The Dynamic Spirit of the Modernists", *Now*, 16 de g.
Vaizey, Marina: "The New Tradition: Figures that don't add up", *Sunday Times*, 18 de gener.
Feaver, William: "UK 8, Germany 11", *The Observer*, 18 de gener.
Packer, William: "A New Spirit in Painting?", *The Financial Times*, 20 de gener.
Russell-Taylor, John: "Opportunity for an Artistic Roller -Coaster Ride", *The Times*, 20 de gener.
Spurling, John: "Big, Bold and Bland", *The New Statesman*, 23 de gener.
Bindman, David: "The Good Old Avant-Garde", *The Times Literary Supplement*, 23 de gener.
Levin, Bernard: "Mammoth Footprints seen in Piccadilly", *The Times*, 28 de gener.

Anderson, Susan Hellar: *The New York Times*, 5 de febrer.
Clarke, Michael: "Art, Politics and Kitsch", *The Times Educational Supplement*, 6 de febrer.
Faure Walker, James: "Awkward Moments", *Artscribe*, núm. 27, febrer, pàg. 12-15.
Art in America, vol. 69, febrer, pàgs. 44-45.
Gehren, Georg von: *Weltkunst*, vol. 51, març, pàgs. 548-549.
Shone, Richard: "London", *Burlington Magazine*, vol. 123, març, pàg. 185.
Sweet, David: "The Decline of Composition", *Artscribe*, núm. 28, març, pàgs. 18-23.
Gilmour, Pat: "Howard Hodgkin", *Print Collector's Newsletter*, vol. 12, núm. 1, març/abril, pàgs. 2-5.
Lucie-Smith, Edward: "London Letter: A New Spirit in Painting, or Bedlam at the R.A.", *Art International*, vol. 24, març/abril, pàg. 108.
French, pàg.D.: "Diluted Abstractions: Richard Phipps. Howard Hodgkin", *Artweek*, vol. 12, 25 d'abril, pàg. 8.
Kramer, Hilton: "Howard Hodgkin", *The New York Times*, 8 de maig.
Whittet, G.S.: "London: Detente Prevails", *International Herald Tribune*, 24 de maig.
Feaver, William: "A 'New Spirit' - or just a Tired Ghost?", *Art News*, vol. 80, maig, pàgs. 114-118.
Smith, Roberta: "Fresh Paint?", *Art in America*, vol. 69, estiu, pàgs. 70-79.
Murray, Jesse: "Reflections on Howard Hodgkin's Theater of Memory", *Arts Magazine*, vol. 55, juny, pàgs. 154-157.
Castle, Ted: "Teh Paint Drain", *Art Monthly*, núm. 48, juliol/agost, pàg. 11-13.
Phillips, Deborah C.: "New Editions", *Art News*, vol. 80, setembre.
Howarth, Kathryn: "Howard Hodgkin at Knoedler", *Art in America*, vol. 69, octubre, pàgs. 154-6.
Bann, Stephen: *Connaissance des Arts*, vol. 356, octubre, pàgs. 98-105.
Phillips, Deborah C.: "Howard Hodgkin", *Art News*, vol. 80, novembre, pàgs. 200-201.
Gehren, Georg von: "A New Spirit in Painting", *Kunstwerk*, vol. 34, núm. 2, pàgs. 67-68.

1982 Robertson, Bryan: *Harpers* and *Queen*, març, pàg. 178.
(Autor desconegut): "One Down, Two to Go", *Print Collector's Newsletter*, vol. 13, març/abril, pàg. 22.
Puvogel, Renate: "13 Britische Künstler", *Kunstwerk*, vol. 35, abril, pàg. 68.
(Autor desconegut): "Redeye", *The Print Collector's Newsletter*, vol. 13, juliol/agost, pàg. 98.
Bevan, Roger: "Howard Hodgkin: Indian Leaves", *Event*, 22 de setembre.
Spalding, Frances: "Howard Hodgkin", *Arts Review*, vol. 33, 24 de setembre, pàg. 484.
Geddes-Brown, Leslie: "Painter of Perfection", *Sunday Times*, 26 de setembre.
Feaver, William: "Leaves from India", *The Observer*, 26 de setembre.
Vaizey, Marina: "The Spirit of India", *The Sunday Times*, 26 de setembre.
Russell-Taylor, John: "Tradition Remaining Strong and Rich", *The Times*, 28 de setembre.
Kapur, Geeta: "Howard Hodgkin's Indian Leaves", *Art Monthly*, núm. 61, novembre, pàg. 10.
Russell, John: "Art: Works of Hodgkin Displayed at Knoedler's", *The New York Times*, 19 de novembre.
Hughes, Rober: "A Peeper into Paradise", *Time*, 29 de novembre, pàg. 88.
Thurlbeck, Kn: "Hodgkin at M. Knoedler and Petersburg Press", *Art Gallery-Scene,* desembre, pàg. 4.

1983 Schoenfeld, Ann: "Howard Hodgkin", *Arts Magazine*, vol. 57, gener, pàg. 42.
McEwen, John: *Studio International*, vol. 196, gener/febrer, pàg. 57.
Bass, R.: *Art News*, vol. 82, febrer, pàg. 146.
Armstrong, Richard: "Exhibition Reviews", *Artforum*, vol. 21, març, pàg. 71.
(Autor desconegut): "Prints and Photographs Published: 'Red Bermudas'", *Print Collector's Newsletter*, vol. 14, març/abril, pàg. 218.

1984 Regan, Michael: "A Room of Their Own", *Ritz*, núm. 85, febrer, pàg. 6.
Downing, Beryl: "4 Rooms, 4 Views", *The Times*, 10 de febrer.
Packer, William: "Artists Furnish a Room", *The Financial Times*, 14 de febrer.
Januszczak, Waldemar: "Four Rooms", *The Guardian*, 16 de febrer.
Blumel, Mary: "Four Singular Versions of a Room of One's Own", *International Herald Tribune*, 17 de febrer.
Spurling, John: "Rooms at the Top", *The New Statesman*, 17 de febrer, pàg. 28.
McEwen, John: "Journeys in the Interior", *The Sunday Times*, 19 de febrer.
Feaver, William: "Rooms of Their Own", *The Observer*, 19 de febrer.
Russell-Taylor, John: "A Poor View of Public Taste", *The Times*, 21 de febrer.
Ostler, Tim: "Space Race", *Building Design*, 24 de febrer, pàg. 18.
Grossman, Loyd: "The Hell-Shaped Room", *Harpers and Queen*, març, pàgs. 168-172.
Shepherd, Michael: "Rooms of Their Own", *The Sunday Telegraph*, 4 de març.
Van Hensbergen, Gijs: "Howard's hues", *Ritz*, núm. 86, març, pàg. 6.
Russell, John: "Maximum Emotion with a Minimum of Definition", *The New York Times*, 15 d'abril.
Pringle, Alexandra: "Howard's blend of images and textures: Harper's and Queen", juny "Howard Hodgkin and Patrick Caulfield in conversation", *Art Monthly*, juliol/agost.
Carlson, Prudence: "Howard Hodgkin at Knoedler", *Art in America*, octubre.
Hughes, Robert: "Gliding over a Dying Reef", *Time*, 2 de juliol.
Brenson, Michael: "Art: Howard Hodgkin and Paris Legacy", *The New York Times*, 27 d'abril.
Sozanski, Edward J.: "Magnetic works of vibrant color", *The Philadelphia Inquirer*, 23 d'octubre.
"Howard Hodgkin talks to Patrick Kinmonth", *Vogue* (ed. British), juny.
Addams Allen, Jane: "Howard Hodgkin: Letting it Flow", *The Washington Times*, 12 d'octubre.
Richard, Paul: "Howard Hodgkin's Art", *The Washington Post*, 11 d'octubre.
Addams Allen, Jane: "Howard Hodgkin: In the limelight", *The*

Washington Times, 16 d'octubre.
McEwen, John: "Late Bloomer", *Vanity Fair*, novembre.
Stevens, Mark: "A Palette of the Emotions", *Newsweek*, 3 de desembre.

1985 Hanson, Bernard: "Hodgkin's On View At Yale", *The Hartford Courant*, 24 de febrer.
Raynor, Vivien: "At Yale, the Afterthoughts of Howard Hodgkin", *The New York Times*, 10 de febrer.
Gonzales, Shirley: "Hodgkin's trip into 'deep space'", *New Haven Register*, 20 de gener.
Gibson, Eric: "The Hodgkin Paradox", *Studio International*, vol. 198, núm. 1008.
Galligan, Gregory: "Howard Hodgkin: Forty Paintings", *Arts Magazine*, març.
Sweet, David: "Howard Hodgkin at Yale Centre for British Arts", *Artscribe*, núm. 52, maig-juny.
Higgins, Judith: "In a Hot Country", *Artnews*, estiu.
McNay, Michael: "Howard Hodgkin", *The Guardian*, 12 d'octubre.
Spurling, John: "Dotted about the place", *New Statesman*, 10 de novembre.
Russell, John: "Hodkin at the Whitechapel", *The Burlington Magazine*, octubre.
Shepherd, Michael: "Hodgkin at the New Whitechapel", *Sunday Telegraph*, 22 de setembre.
Brampton, Sally: "Howard Hodgkin: Art into Life", *Elle*, 1st British edition, novembre.
Pauw, Ally van der: "Howard Hodgkins zuchtjes van pijn en plezier", *Haagse Post*, 7 de desembre.
Hyman, Timothy: "Howard Hodgkin: Making a Riddle out of The Solution", *Art* and *Design*, novembre.
Vaizey, Marina: "The Intimate Room Within", *Sunday Times*, 28 de setembre.
Hicks, Alistair: "Talking about art", *The Spectator*, 28 de setembre.

1986 Galligan, Gregory: "A small thing but painting: the new work of Howard Hodgkin", *Arts Magazine*, setembre.
Gill, Susan: "Howard Hodgkin", *Artnews*, setembre.
Bode, Ursula: "Erinnerungen Werden Zu Bildern: Howard Hodgkin", *Architektur* and *Wohnen*, 26 de març.
Clements, Keith: "Artists and Places Nine: Howard Hodgkin", *The Artist*, agost.

1987 Sylvester, David: "The Texture of a Dream", *Architectural Digest*, març.
Thorkildsen, Asmund: "En samtale med Howard Hodgkin", *Kunst og Kultur*, núm. 4.
Hyman, Timothy: "Mapping London's Other Landscape", *Art International*, tardor, pàgs. 57-61.

1988 Sylvester, David i Howard Hodgkin: "Colour Dialogue", *Vogue*, gener.
Newman, Geoffrey: "Celebrations of radiance", *The Times Higher Education Supplement*, 27 de maig.
Graham-Dixon, Andrew: "On the Edge", *The Independent*, 5 d'abril.
Dorment, Richard: "Drawn towards the light", *The Daily Telegraph*, 26 d'agost.
Feaver, William: "Hodgkin's Venice: the greedy eye attracted", *The World of Interiors*, setembre.
Hilton, Tim: "Beyond the boundary", *The Guardian*, 31 d'agost.
Feaver, William: "Whoosh in Venice", *The Observer*, 4 de setembre.
Graham-Dixon, Andrew: "Drawing on life", *The Independent*, 6 de setembre.
Shepherd, Michael: "Hodgkin's Venetian hours", *Sunday Telegraph*, 11 de setembre.
Vaizey, Marina: "British shows of strength", *Sunday Times*, 11 de setembre.
Fuller, Peter: "Howard Hodgkin and Robert Natkin", *Modern Painters*, vol. 1, núm. 3, tardor.
Russell, John: "The Poetic Renderings of Howard Hodgkin", *The New York Times*, 14 d'octubre.

1989 Moorman, Margaret: "Howard Hodgkin", *Artnews*, gener.
Brooks, Adams: "Howard Hodgkin at Knoedler", *Art in America*, gener.
Andreae, Christopher: "Each Hodgkin Painting Holds Layers of Pondering", *The Christian Science Monitor*, Ed. Word, vol. 81, núm. 96, 13-19 d'abril.

Llibres

1965 Russell, John, i Bryan Robertson, Lord Snowdon: *Private View*, Londres, Nelson.

1967 Pellegrini, Aldo: *New Tendencies in Art*, Londres, Elek Books Ltd., pàg. 207.

1968 Jones, Christopher, i G.D. Thorneley, eds.: *Creative Method in Painting* (conferència sobre "Design Methods"), Londres, Pergamon.

1970 Lucie-Smith, Edward, i Patricia White: *Art In Britain 1969-70*, Londres, J.M. Dent and Sons Ltd., pàg. 96.

1971 Dyprénu, Jean: assaig de *Figurative Art since* 1945, Londres, Thames and Hudson, pàg. 166.

1977 Shone, Richard Noel: *The Century of Change: British Painting since* 1900, Oxford, Phaidon, pàgs. 11, 34, 42, 219, làmines 173, 196.

1982 Chatwin, Bruce: *Howard Hodgkin, Indian Leaves*, Londres, Nova York, Petersburg Press.

Pel·lícules, televisió i programes àudio-visuals

1976 *Howard Hodgkin: Indian Views*, una conversació gravada sobre les seves pintures amb Timothy Hyman. The British Council.

1981 *Howard Hodgkin*, Londres, Weekend Television, The South Bank Show, 29 de març.

1982 *Howard Hodgkin*, color, 37 minuts, dirigit per Judy Marle, Landseer. Arts Council de Gran Bretanya.

1984 *Howard Hodgkin interviewed by Richard Cork*, Leamb Arts Enterprises, Londres (àudio-visual).
Four Rooms, BBC Arena, 21 de febrer.

Textos en castellano
English texts

Textos en Castellano

Presentación

Si algo caracteriza la pintura de Howard Hodgkin es su absoluta modernidad; una modernidad que viene definida por la gran capacidad de síntesis que guía su propuesta, a través de un recorrido estético en el que se implican variadas tendencias históricas.

El público español no ha tenido oportunidad de conocer de cerca la pintura del artista británico. Si exceptuamos la exposición de obra gráfica que, en el curso de una gira por España organizada por el British Council, se presentó en mayo de 1989 en Terrassa, no ha habido en nuestro país ninguna manifestación que permitiera valorar el verdadero alcance de su trabajo.

La exposición que presentamos, compuesta por 27 pinturas, es, pues, la primera en su género que puede verse en España. Más de diez años han sido necesarios para su preparación, ya que las obras, escasas y frágiles, se hallaban diseminadas en varias colecciones privadas, algunas muy alejadas; esta circunstancia ha contribuido a crear en torno a la muestra un aura de secreto y un clima de rareza que aumentan su atractivo. Sin embargo, su cualidad más excepcional reside en el mágico estallido que la pintura de Howard Hodgkin, una pintura que parece distanciada de su propia época, provoca en el espectador al conectarle con la larga y remarcable familiaridad que el artista posee en el arte de pintar.

Por ello, puede comprenderse fácilmente cuan sincero es nuestro agradecimiento a todas aquellas personas que han hecho posible esta exposición: a Henry-Claude Cousseau, del Musée de Beaux Arts de Nantes, y a Jacqueline Ford, del British Council, comisaria de la exposición, así como a Peter Prescott y Andrew Kyle, del British Council en París, por su apoyo, y a Miren de Bustinza, del British Council en Barcelona, por su ayuda. Nuestra más expresivas gracias a Catherine Ferbor, Tanya Leslie y Joanna Gutteridge, del British Council, cuya colaboración en todo momento en este proyecto ha sido inestimable.

Desde luego, tampoco podemos olvidar a Timothy Hyman y Francisco Calvo Serraller, que tan valiosos comentarios a la obra de Hodgkin han escrito para el catálogo de la exposición, ni a Carol Lee Corey, de Knoedler & Co, Nueva York y Sara Shoot, de las Galerías Waddington de Londres, por su inapreciable colaboración.

La Fundación Caixa de Pensions se complace, pues, en presentar esta exposición, organizada en colaboración con The British Council, que reúne las obras más significativas del artista durante la última década y ofrece al público de Barcelona la primera oportunidad de conocer ampliamente su trabajo.

Henry Meyric Hughes
Director del Departamento de Artes Visuales de The British Council

Joan Josep Cuesta
Director ejecutivo de la Fundación Caixa de Pensions

Hodgkin, la pintura inalienable

Los prejuicios perturban la interpretación de la obra de Howard Hodgkin. Confinada por muchos europeos en el preciosismo de una especie de virtuosa realización de la tradición occidental, no acabaría de pertenecer a su tiempo; quedaría elegantemente al margen de las aportaciones contemporáneas por haberlas menospreciado y haberse adherido, no sin desdén, a las referencias menos actuales del arte. En la actitud y el pensamiento del pintor hay una suerte de arrogancia, que no proviene, sin embargo, ni de una superioridad gratuita, ni de ninguna clase de ofuscación intelectual. Si nos atenemos a sus propias palabras[1], es en una exigente pretensión de *clasicismo* donde, sin duda, debemos buscar el origen de esta resistencia a su época y, sobre todo, del rechazo a aceptar su aprobación. Un cierto escepticismo le constriñe al reto de someterse al desafío de mantenerse estrictamente dentro de las coordenadas tradicionales para desbordarlas en su propio terreno; lo que, en último término, le lleva a ignorarlas. Howard Hodgkin es, en este sentido, singular: de hecho, propone, sin querer manifestarlo claramente, una alternativa a la pintura de las últimas décadas. Una forma de superioridad del saber rechaza el radicalismo de las rupturas en provecho de una tozudería provocadora y, al mismo tiempo, fecunda. El deseo de intemporalidad que fundamenta todo clasicismo, y del que nos habla concretamente Hodgkin, consiste sobre todo en aceptar disociar el tema esencial de la obra de apariencias estilísticas inevitables, pero en el fondo subsidiarias. En este aspecto, el pensamiento se aviene mejor con el recogimiento, con la discreta protección que ofrece la tradición, para exaltar su agudeza y su fuerza.
Desde principios de los setenta, la obra de Hodgkin presenta indicios de esta preferencia. El pintor decide expresarse dentro de unos límites y mediante unos conceptos que resumen una descripción del cuadro: predilección por un colorismo exuberante y emocional (procedente en buena parte, además, de la tradición francesa) en cuyo fondo alienta una declarada pasión por Vuillard, de quien el artista recoge la lección intimista; gusto por los formatos pequeños (que le lleva a preferir, como soporte, la madera a la tela), y composiciones cerradas que privilegian la profundidad que subraya la afirmación sistemática de la noción de cuadro. Por otra parte, los títulos de los cuadros dan a entender la manera en que su génesis comenta la vida del pintor en una narración autobiográfica que nos transmite los estados afectivos que le determinan.

Pero la descripción (incluso si se dedica permanentemente a un juego delicadamente alusivo con la realidad) se acaba pronto. La intención va más allá. El cebo ilusionista que tanto fascina a Hodgkin tiene su punto de partida en el artificio de una afirmación casi exclusiva de rasgos que sólo sirven, al fin y al cabo, para introducir su lógica. La pintura siempre está enmarcada; pero el marco, para afirmar su solidaridad con ella, también está pintado, incorporado a la composición por el juego de pinceladas y colores, hasta convertirse en un elemento constituyente. Se confunde con ella y, por otra parte, por eso mismo, no existe de verdad. De hecho, el espacio «crea una ilusión de profundidad sin descomponer la condición plana de la superficie»[2]; es un espacio «cavernoso»[3] que en parte se hace tangible por medio de la afirmación del borde del cuadro, tratada concretamente como una especie de jerarquía de la progresión hacia su centro focal. La pincelada liberará incluso, sumariamente, algunos signos, que sólo sirven, sin embargo, para incorporar mejor el color. El mismo color, por un sagaz juego de capas translúcidas, de intersticios luminosos, substituye el desarrollo, la desmultiplicación interior del espacio. Su estridencia embriagadora, su fulgor, dan lugar a modulaciones, disonancias o armonías que contribuyen a hacer sonar el conjunto del cuadro como el acorde de un instrumento. Pero esa concisión temporal esconde parcialmente el verdadero proyecto del pintor.
Todo ello nos es indicado por una declaración muy elocuente del mismo pintor que pone de manifiesto la otra vertiente de su pensamiento: «Para mí, es muy importante que cada pincelada no se convierta en una especie de autógrafo, sino simplemente en una pincelada que acto seguido pueda ser utilizada al lado de cualquier otra para contener algo... Deseo una pincelada anónima y autónoma»[4]. Cualidades que Hodgkin ya encuentra en David y, después, en Degas (a quien oponía, por otro lado, a Manet) y, más cercano a nosotros, en J. Johns[5]; en otras palabras, el artista aborda una preocupación que se separa completamente de las que aparentemente son las suyas y que lo aproxima en lo posible a sus contemporáneos.
Después de Pollock, en cuya obra la proyección gestual llega al paroxismo, la pintura se convierte en el lugar de una reflexión que tiende, literalmente, a la escenificación; como emblema clásico, la «ejecución» se transforma en tema del cuadro en un distanciamento irónico que hace emerger ciertos rasgos (precisamente la pincelada, el gesto –que es su corolario–, el ilusionismo espacial, la ambigüedad relativa a la figuración) como una temática específica. Es el caso, sobre todo, de G. Richter, pero también de Lichtenstein, Polke y otros. Evidentemente, hay un modo común de plantear el problema de la pintura, de la escenificación de la práctica pictórica,

propio de un determinado estado de ánimo, y cabe recordar que en los primeros tiempos el trabajo de Hodgkin estaba relacionado con el Pop Art.
Al fin y al cabo, los artificios a que recurre el pintor solamente son explorados, desmontados, para reforzar y perpetuar su poder. Con más exactitud, la pintura se elabora en este caso a partir de la fascinación que engendra el propio estereotipo, simultáneamente imaginario y cultural. Por otra parte, la pasión que el artista experimenta por la pintura india también procede de su *clasicismo*, es decir de la fuerza estereotipada que posee a pesar y, sobre todo, a causa de la discreción, casi tenuidad milagrosa, de los medios que emplea. Por mencionar a una personalidad que aparentemente se halla en las antípodas de Hodgkin, exponemos esta frase de G. Richter referida a la noción de belleza: «Llegué a la conclusión de que siempre tenía tanto impacto»[6]. La palabra es esencial. Lo que se evoca es la potencia *inicial* de la pintura. En ese sentido, lo que busca la pintura pertenece naturalmente al orden del concepto pero, también, al del efecto.
En pocas palabras, en el caso de Hodgkin la pincelada, los signos, el color, el espacio, la composición, tienen una dimensión narrativa inmediata, pero suplantada, recubierta, escondida. Al igual que los colores transparentes que, a lo largo de los años en que los cuadros son retomados una y otra vez, hacen desaparecer poco a poco el primitivo tema de la pintura, emerge otro tema en un movimiento que es su consecuencia, indicio de esa distancia, fuente de otro artificio y que, de la pintura enmarcada al marco convertido en pintura, desemboca al fin y al cabo en su representación. Ni siquiera en el intimismo que le caracteriza hay algo que no esté, como justamente decía el mismo artista, «brutalizado»[7] por la pintura. Donde Ritcher invoca la noción de impacto como una exigencia de dominio de su capacidad, de su poder de pintor, Hodgkin reacciona negándose a separarla de la emoción que no deja de producir.
Volviendo a su punto de partida, prefiriendo por clasicismo efectuar una síntesis a actuar a base de cortar o rechazar, y sintiéndose finalmente en posesión de esa capacidad, Hodgkin integra en la imagen, especialmente a través de los efectos cromáticos, la dimensión sensible y concreta. La ironía es, pues, sumergida, desplazada por la emoción del enunciado. Sabe que así perpetúa el recuerdo del instante, su voluptuosidad y que confiere a la pintura su poder inalienable[8].

Henry-Claude Cousseau
Traducción: I. Sardà

Notas
1. Confróntese la interesantísima entrevista con David Sylvester: *Howard Hodgkin: forty paintings, 1973-1984*, Londres, 1984, p. 105.
2. *id*, p. 100.
3. *id*, p. 101.
4. *id*, p. 105.
5. *ibid.*
6. Citado por Bernard Blistène: «Gerhard Richter ou l'exercice du soupçon», del catálogo de la exposición Grehard Richter, Saint-Étienne, Musée d'Art et d'Industrie, enero-febrero 1984, p. 8.
7. *op. cit.*, p. 100.
8. En el sentido en que entiende la poesía y la opone a la ideología Roland Barthes: *Mythologies*, París, p. 247.

Howard Hodgkin:
Hacer un enigma de la solución

Se podría decir que todo pintor sostiene la creencia de que una emoción humana y un objeto físico pueden llegar a ser equivalentes exactos. Tratándose de Howard Hodgkin, la fusión entre emoción y objeto se constituye excepcionalmente y con toda pureza como tema. Ningún otro artista contemporáneo ha delimitado tan consistentemente como su zona propia de emoción, lo más huidizo, intangible y evanescente; ni, a un tiempo, ninguno ha puesto un tal énfasis en la identidad material de cada pintura. El mismo Hodgkin insiste: «Cada cuadro debería ser tan formal y físicamente sólido como una mesa o una silla».

Esta exposición es la primera que se centra en las pinturas más pequeñas de Hodgkin. No se trata en absoluto de versiones miniaturizadas de imágenes más grandes; incluso en la menor de ellas, la escala en los trazos individuales permanece inalterada. (Y es la pincelada, en estas obras, lo que constituye la unidad esencial.)

Según Hodgkin, la pequeñez de estos cuadros es una parte integrante de su significado:

«Hay emociones que uno preferiría guardar antes que exhibir. Lo pequeño hay que decirlo a pequeña escala. Eso no significa que sea *inferior*. Un cuadro pequeño exige una tremenda disciplina en cuanto a lo que se puede decir. No se puede decir tanto.»[1]

En sus anteriores exposiciones, esas pinturas reducidas parecían —comentaba— «como críos junto a sus padres»[2]; aquí se nos ofrece la oportunidad de salir a su encuentro a solas.

Según los criterios estándar de sus contemporáneos, todos los cuadros de Hodgkin se podrían describir como pequeños. En cuanto penetramos en la sección de arte de postguerra de cualquier museo, lo primero que nos llama la atención es el aumento en las dimensiones de las obras. Los sesenta y los primeros setenta, cuando el material de Hodgkin comenzó a ser expuesto, fueron para David Sylvester, «un período en el cual el tamaño doméstico para los cuadros estaba internacionalmente proscrito»[3]. Circulaba el tópico de que la pintura de caballete era ya una moda superada. Un cuadro, pues, si quería ser valorado, no debía presentarse como una ventana sino como una pared. Bajo esta convención formal había otra de sentimiento: la única zona de emoción a la que podía aspirar el arte contemporáneo importante era lo Sublime.

Howard Hodgkin descubrió ya tempranamente que sus intereses como pintor iban ligados a la experiencia personal e íntima, y desarrolló, durante más de veinticinco años, un lenguaje que le permitiese manejar esa experiencia. En la fijación del tamaño, la emoción y el objeto interactúan. Lo explica así:

«El sujeto debe ser físicamente contenido... El tipo de ilusionismo que utilizo como lenguaje pictórico, a gran escala no funciona. Cuando pintas un cuadro enorme, tienes que usar otro tipo diferente de ilusionismo mucho más arquitectónico y mucho menos intenso. Creo que este es el motivo, el más importante, de que mis pinturas sean comparativamente pequeñas.»[4]

La intensidad, tanto como el intimismo, es la clave. ¡Cuántas veces, al encontrar una diminuta obra de Hodgkin en una exposición colectiva o colgada en un museo, la he visto destellear y brillar como una nueva y maravillosa estrella estallando en una galaxia de planetas yermos! Me acuerdo de una realmente planetaria, *The Moon*, una imagen de escasamente 50 cm. Sólo había una manera de colgarla en compañía de sus inmensos y retóricos vecinos: darle un espacio tan grande como a ellos, un espacio que fácilmente podía dominar. La lección no llevaba a engaño: una densidad concentrada y una irradiación comprimida pueden tener mucho mayor peso que unas masas infinitamente más voluminosas.

«Mis cuadros», escribía Hodgkin en 1972, en una nota que acompañaba a su primera exposición en París, «son obras narrativas que describen momentos específicos y gente muy concreta. He pintado retratos en donde he intentado crear una amalgama entre los individuos y sus entornos, al igual que entre ellos mismos.»

La amalgama es interesante; como si el artista esperase refundir todos esos elementos y sellarlos en el interior de la imagen, como un fósil en ámbar. Hace más de veinte años, cuando tenía dieciseis, realizó un pequeño gouache, convincentemente lúcido, de unos 22 x 25 cm, que anunciaba en tema, talento y condensación, el carácter de su obra futura. Aunque el ya sabía que *Memoirs* era prematuro:

«Me llevó años retornar a la intensidad de aquel cuadro. Pero quería llegar allá desde otra dirección. Quería usar la pintura como substancia.»[5]

Todo en el desarrollo inicial de Hodgkin se puede contemplar en virtud de ese dirigirse a la substancialidad. Se dio cuenta de que necesitaba realizar sus cuadros en un soporte extremadamente positivo, preferiblemente algo que ya existiese como objeto de madera; podía tratarse de un trozo de puerta o incluso de un tablero para cortar pan. Las figuras tenían que surgir de —estar enraizadas en— la auténtica matriz del cuadro, aunque eso supusiera reducirlas al trazo o a la astilla más vestigial. Describir un Hodgkin de la primera época exigiría detenerse en sus formas geométricas planas, sus vibrantes y cómicas disonancias de colores exaltados (fácilmente asimilables a la estética del collage del Pop), y en el clima general maníaco-hilarante. Pero también debería dar idea de que la mayoría de esas pinturas se elaboraron durante años, y de que la imagen final atesoraba ese sentido del paso del tiempo, de la acumulación. En toda su obra, la emoción se entiende como algo muy cercano a lo físico. Al principio puede comenzar esbozando el espacio o las figuras más o menos literalmente; ahora bien, con el tiempo, la emoción erige una estructura propia. ¿Calificaríamos de «abstracciones» las imágenes resultantes? A menudo se considera la pintura abstracta como sinónimo de pintura purista; pero aquí encontramos además una trascendencia cuyas epifanías se basan en lo cotidiano. La peculiaridad de Hodgkin en cuanto al arte metafísico se constituye en el eje donde la experiencia diaria se transforma en profecía.

Vuillard y Bonnard son los principales ejemplos de tales éxtasis de lo cotidiano. El vocabulario de Hodgkin de borrones y manchas se origina en las superficies texturadas de Vuillard; llega a convertirse en un lenguaje que expresa lo denso del clima que se da entre las personas que comparten una habitación, las vibraciones que se superponen e invaden los espacios. Es un lenguaje capaz de resituar la intimidad pautada de Vuillard en un ritmo más frenético. Lo que en la última década del XIX recurría a presentarse como «el dibujo de la alfombra», en los setenta del XX ya puede aparecer claramente, libre de función representativa. Tales marcas cobran en Hodgkin naturaleza de instrumento esencial para la libre improvisación lírica; son de cualquier color, se distribuyen según cualquier ritmo.

Durante los años de la postguerra, hasta que Hodgkin no se hizo oír, parecía que la tradición del intimismo no dispusiese ya de continuadores. Cierta parte de los logros de Hodgkin en los sesenta y setenta consistió en la revaloración de esa posibilidad olvidada, crear un arte que nos hablase desde un nuevo punto de vista de lo que pasa entre amigos cuando se reúnen en tranquilas habitaciones. La exposición que nos ocupa comienza cuando los temas de Hodgkin emprenden un giro levemente distinto. La situación de sociabilidad compleja aún puede darse, pero tiende a dejar aflorar emociones más directas, incluso primarias. Cuadros como *The Moon* (1978-1980) o *Rainbow* (1983-1985) proponen un tipo de imagen primigenia cercana al emblema o al arquetipo. Más que nunca, su rechazo de la iconografía, su adopción de una pura respuesta sensual, parece satisfacer la definición de arte de Wallace Stevens, según la cual el arte debería ser «una respuesta a griegos y latinos con las manos desnudas».

Cuando Hodgkin mira desde Venecia sólo ve el cielo y el mar; y la estructura del cuadro se construye únicamente indagando cómo el rectángulo de cielo, contiguo al del mar, queda retenido por nuestra mirada perceptiva (o sea, el marco). Venecia no es ni arquitectura ni personas; lo que importa es la presencia insistente del horizonte, que, como un zoom, nos arroja en la infinita profundidad del espacio. Unas imágenes tan simples nos recuerdan lo poco que se necesita en pintura para crear un mundo. Incluso así, estos cuadros demuestran ser menos elementales –respecto al tiempo– de lo que podrían parecer a primera vista. Degas, en sus monocopias en color de los noventa del siglo pasado (muy admirados por Hodgkin), exploró maravillosamente el proyecto de un paisaje de memoria esquiva; *Venice Rain*, con su gigantesco hatillo de nubes rojas contra el marco verde limón, se ha descrito «no como un recuerdo pintado, sino como una imagen del mismo acto de recordar, necesariamente desenfocada»[6]. Lo que causa ese reflejo sutil es, según creo, el marco pintado; como viñetea cada inmersión en el espacio para convertirla en objeto, en pensamiento solidificado.

En algunas de estas pinturas vemos una pequeña imagen central –por ejemplo, la cabeza barbuda de *Paul Levy*, o la silueta vermiforme que surge del césped lejano en *Small Henry Moore at the Bottom of the Garden*– perceptible a través de un entorno mucho mayor que ella. A menudo, las molduras reales del marco entran en contradicción con la manera como lo pinta; hay una guerra territorial constantemente declarada: la imagen expandiéndose sobre el marco, y el marco contraatacando y atenazando a la imagen. Las señales atmosféricas rojas que se arraciman en el marco exterior –y plano– de *Rainbow*, se asemejan a una postimagen proyectándose desde el radiante arco frisado del centro. En contraste, el rojo plano que penetra varios centímetros en la moldura de *In the Honeymoon Suite*, oculta el drama que se desencadena en su interior; se convierte en un vistazo por el ojo de la cerradura. En algunas obras, imagen y marco logran una tal fluidez que nos parece experimentar lo lejano y lo cercano conjuntamente y al mismo tiempo.

Todas sus imágenes contienen el deseo de obligar a la pintura y a la pincelada a actuar como substancia esencial o plasma de la misma experiencia. Las marcas podrían perfectamente simbolizar impactos de luz en la retina o punzadas de placer. En *Paul Levy*, por ejemplo, los copos y las manchas ocres se pueden leer como retazos de una conversación; como si en otro lugar pudiesen –si les apeteciera– encarnar formas de pensamiento o auras suspendidas. Mientras, su función espacial consiste en ser una especie de marco auxiliar para amojonar la penumbra de la visión periférica. De manera muy parecida, Bonnard había ya explotado la cualidad aproximada de la pincelada impresionista para acentuar la subjetividad, la forma en que los objetos representados quedan subsumidos en el placer

de contemplar. La imagen se capta de reojo; la capta la periferia del ojo, la periferia del yo.
De todos los recursos del artista, el color es el que actúa más directamente sobre nosotros. En Hodgkin recupera un poder eufórico y plenamente amoral. Hace dos mil años, Vitruvio ya se lamentaba: «La excelencia en el artista, que los antiguos trataban de conseguir con sumo esfuerzo, se logra hoy con el uso del color y su espectacularidad. ¿Quién entre los antiguos podríamos hallar que hubiese usado el rojo más que esporádicamente, como una droga?» Perfectamente consciente de su potencial narcótico, los colores de Hodgkin pretenden llevarnos al desvanecimiento; nos envenena con ellos.
Cuando Hodgkin mira por la ventana y ve la luna llena vaporosa girando sobre el mar, se desencadena un maravilloso romance lunar; hay una diminuta pintura cuya intoxicación –la luna parece salirse del cielo viridiano– resume para mí esa magia poderosa con la que su arte nos embruja. La hornacina circular de *Dark Moon*, más pequeña incluso (con su vórtice amenazante e insidioso de gris y negro superponiéndose a un rojo iracundo), nos recuerda lo que Pierrot y todo amante lunático sabe: que la cara oculta nunca está muy lejos.
En un primer contacto, los cuadros de Hodgkin ofrecen una pura satisfacción sensual con un grado de intensidad inédito en el resto del arte inglés. Pero incluso sus más «bellas» pinturas demuestran poseer substancia. Tras la vistosidad de *Goodbye to the Bay of Naples*, se oculta una segunda reacción: la repentina irrupción en la conciencia del falo verde en primer término, contra el azul plano del Mediterráneo, mientras que en el fondo el Vesubio arroja lava negra por todo el marco. Sí, es cierto, no todas las imágenes de Hodgkin son acertijos. Nadie se puede llevar a engaño, por ejemplo, con el efebo en madera desnuda del primer plano de *Waking up in Naples*. Pero mientras mi percepción general recuerda estas pinturas como enigmas, también las experimento como imágenes de sentimiento; de un mundo desequilibrado por el sentimiento, y cuyas formas particulares han sido derrotadas por el sentimiento. En palabras de Hodgkin: «Me gustaría pintar cuadros que a la gente no le importase saber qué son, de lo inmersa que estaría en ellos»[7].
Preguntado sobre cómo sabía si un cuadro estaba concluido, respondió que era «cuando el tema regresaba»[8]. Pienso que le creemos, incluso cuando parece poner obstáculos entre nosotros mismos y la sencilla identificación del tema. La intuición de que la ambigüedad pueda ser necesaria para expresar la experiencia, ha expuesto a muchos artistas de nuestro siglo a la acusación de confusionismo. La mejor refutación es, quizá, la de la críptica fórmula de Karl Kraus: «Sólo el artista verdadero sabe como construir un enigma a partir de la solución».
Quiero describir mi experiencia –típica– con un cuadro de Hodgkin. De entrada se da aquella «seducción inicial», que Bonnard consideraba esencial en toda pintura, la cual en Hodgkin resulta excepcionalmente abierta en cuanto a magnificencia de color y vigor en el trazo. Me siento atraído con más intensidad también a causa de un sentido de la ilusión, de la profundidad del espacio, que contiene la promesa de la representación (y que normalmente queda confirmada por el título). Todo ello, sólo para comprobar que esa representación se me niega. A partir de aquí la imagen asume características de enigma. Se puede dar un estadio posterior –al cabo de segundos o al cabo de años; hay cuadros aquí que me siguen confundiendo– en que repentinamente «leo» la imagen. Con este reconocimiento me sobreviene una maravillosa sensación de proceso culminado.
En alguna ocasión, Hodgkin ha hablado del «tiempo recobrado». El paralelismo con Proust es, pues, evidente. La teoría psicoanalítica nos dice que la creatividad va ligada a la superación de la angustia. Según Hannah Segal, «el placer estético deriva de nuestra identificación con la lucha depresiva del artista, y con su salida de ella». O bien, si adoptamos un sesgo más ligero, pensaríamos en Mallarmé amonestando al artista: «No hay que pintar la cosa en sí, sino el efecto que produce», porque «nombrar el objeto es suprimir las tres cuartas partes del disfrute (...) que consiste en adivinarlo, poco a poco». Sea como fuere, está claro que a través de ese lenguaje misterioso Hodgkin nos ofrece participar y ser cómplices de todo ello.

Quizás deberíamos establecer una distinción entre dos elementos independientes. Por un lado está el proceso en virtud del cual la emoción o el recuerdo se tornan en una obra de arte. Por otro encontramos la cuestión de la descripción en el arte contemporáneo, una cuestión absolutamente diferente.
En un primer encuentro con la obra de Hodgkin sentí que planteaba, en grado comparable al de cualquier otro artista que yo conociese, problemas fundamentales de descripción. Por ejemplo: ¿Cómo representar hoy en día la experiencia de *estar con* otra persona? Hodgkin ha afirmado en varias ocasiones que no podía imaginar «nada menos parecido a lo visual o a la realidad física que el retrato tradicional». Mirar a otra persona, coincidíamos en 1975, es como «mirar al sol»[9]. ¿Cómo reconciliar esa experiencia con la de la imagen lineal, monofocal y retiniana? Aun más: la dimensión misteriosa en su obra, el «camuflaje», procedía en parte del convencimiento de que ya no se puede confiar en construir una

representación. Hay que acceder a la imagen más oblicuamente, pero también más directamente.
La obra de Hodgkin parece mostrar el camino hacia un lenguaje nuevo que tenga más en cuenta nuestra subjetividad, lo que llama «lo esquivo de la realidad». Aún estoy convencido de ello, aunque hoy lo veo de una manera ligeramente diferente. Hodgkin pertenece a una generación cuya madurez coincidió con el dominio de la abstracción formal; su lenguaje pictórico se ha encontrado siempre bajo presiones formales considerables. En cambio, en mi opinión y en la de otros artistas quince o veinte años más jóvenes que él, ahora parece posible trazar los rasgos de un rostro, simplemente porque la intensidad formal parece menos imperiosa. En esta perspectiva más «relajada», el de Hodgkin puede verse solamente como un lenguaje en los límites más alejados del espectro de posibles descripciones. Sin embargo, su sentido de la pintura-como-objeto todavía lo juzgo tan formidable como poner un gran interrogante sobre los tipos mas descriptivos de la representación contemporánea.
En los sesenta desafió a las ortodoxias de la abstracción; hoy, a las de la descripción. Mucho más explícitamente que cualquier otro pintor en quien pueda pensar, el triunfo de Hodgkin consiste en «atrapar la situación» con un compromiso completo y concluyente, y, de esta manera, hacernos la experiencia presente al máximo. Justamente, es a causa de que sus mejores cuadros expresan la tensión entre emoción y objeto, y la llevan al extremo, que desenmarañan tan enriquecedoramente los procesos esenciales que tienen lugar en el mismo núcleo de la pintura.

Timothy Hyman
Traducción: Jordi J. Serra

Notas
1 Conversación de Howard Hodgkin con el autor; febrero de 1990.
2 Ibídem
3 Entrevista con David Sylvester enHoward *Hodgkin: Forty paintings 1973-84* (The Whitechapel Art Gallery: 1984).
4 Ibídem
5 Entrevista con Richard Cork, Lecon Arts, Londres, 1984.
6 Andrew Graham-Dixon, *The Independent*, 6 septiembre 1988.
7 Entrevista con el autor, *Artscribe*, julio 1978.
8 David Sylvester, op. cit.
9 Timothy Hyman, «Howard Hodgkin», *Studio Internacional*, Vol. 189, mayo-junio 1975.

La emoción y el orden

Entre las diversas cosas que se pueden afirmar sobre Howard Hodgkin, artista británico nacido en Londres en 1932, es que se trata de un pintor sin excesivas prisas. Observando desde la actualidad la trayectoria vital y artística de Hodgkin no parece, en efecto, haberse apresurado ni al pintar, ni, aun menos, consecuencia lógica de lo anterior, por dar a conocer su obra. La primera exposición individual de Hodgkin tuvo lugar en Londres a fines de 1962, cuando contaba treinta años de edad, pero verdaderamente no comenzó a suscitar una atención crítica significativa hasta la década siguiente y no alcanzó una proyección internacional hasta la de los ochenta, en cuyo comienzo fue uno de los artistas seleccionados para participar en la muestra titulada *A New Spirit in Painting*, muestra que organizó la Royal Academy of Arts de Londres en 1981 y que despertó un interés polémico incluso fuera de las fronteras británicas. Poco después, se exhibieron dos importantes exposiciones individuales de Hodgkin, concebidas para itinerar por diversos paises, la primera de las cuales, con tema monográfico, titulada *Indian Leaves*, recaló en la Tate Gallery, de Londres, el año 1982, mientras que la segunda, recopilación selectiva de lo realizado durante aproximadamente los últimos diez años y que llevaba por título el de *Forty Paintings: 1973-1984*, pudo verse, precisamente durante el año 1984, en varios lugares, entre los que merece destacarse los de la Whitechapel Art Gallery, de Londres, y el Pabellón Británico, de la XLI de Venecia.
Cuando se produjeron estos últimos acontecimientos, que han resultado decisivos para que su obra fuera auténticamente reconocida internacionalmente fuera de los círculos selectivos de los especialistas, Howard Hodgkin había cumplido ya los cincuenta años, el medio siglo de existencia, lo que no es poco.
De todas formas, una cosa es no preocuparse excesivamente por el éxito, desentendiéndose de las estrategias que ayudan a conseguirlo por la vía rápida, y otra, muy distinta, es trabajar lento, incluso al margen de lo que promocionalmente puede significar el retraso o la rapidez en la producción, pues ambas actitudes pueden ser cada cual eventualmente rentables a su manera.
Howard Hodgkin ha tardado en obtener un reconocimiento crítico y ello ha sido debido tanto a una escasa y lenta producción de obra, como a un positivo distanciamiento respecto a su personal promoción como artista. No obstante, lo lento en la lenta producción de Hodgkin es algo previo a cualquier plan consciente o a cualquier actitud deliberada. Quiero decir que es algo con lo

que se encuentra Hodgkin sin buscarlo, una especie de fatalidad: el resultado de una contradicción de naturaleza estética. Aunque, en realidad, no estoy seguro si habría que calificar la causa de este fatal retraso impuesto a la obra como contradicción o paradoja, teniendo en cuenta efectivamente que la naturaleza paradójica del arte nos obliga a admitir que la distancia más corta entre dos puntos no siempre es la línea recta. En este mismo sentido, por ejemplo, se ha pronunciado Hodgkin al explicar cómo la representación artística más directa de una realidad se consigue a través de una perspectiva "oblicua", forzada. Lo decía precisamente a propósito de la forma de pintar de Degas y de Kooning, que rehúyen por completo esa técnica conocida como *alla prima* considerada convencionalmente como la más adecuada para captar la realidad fugaz. Para Hodgkin, la sensación de espontánea fugacidad sólo se logra a través del método y la técnica más sofisticadamente elaborados. Lo que lleva mucho tiempo –afirma Hodgkin respecto al acto de pintar- es darle significado, incorporar esas emociones, sentimientos e impresiones que no se pueden incorporar con una técnica *alla prima*.

Con motivo de la exposición que se presentó en las Grafton Galleries, de Londres, durante 1912, Roger Fry, el crítico británico que creó el término de "postimpresionista" y que se encargó de redactar el prólogo del catálogo de dicha muestra antológica de la pintura francesa, escribió lo siguiente: "Cuando hace dos años -se refería a la exposición de 1910- tuvo lugar la primera exposición postimpresionista en estas galerías, el público inglés se enteró plenamente por primera vez de la existencia de un nuevo movimiento artístico, un movimiento que era tanto más desconcertante por cuanto no era una simple variación sobre temas aceptados sinó que implicaba una reconsideración del mismo objetivo e intención, así como de los métodos del arte pictórico y plástico. Por lo tanto, no fue sorprendente que un público que había llegado a admirar, por encima de todo, la habilidad con la que el artista producía ilusión en un cuadro se haya tomado a mal un arte en que tal habilidad estaba completamente subordinada a la expresión directa del sentimiento. Se hicieron libremente acusaciones de torpeza e incapacidad, incluso contra un artista tan consumado como Cézanne. Sin embargo, tales dardos no dan en el blanco, ya que el objetivo de esos artistas no es mostrar su destreza o proclamar sus conocimientos, sinó sólo tratar de expresar ciertas experiencias espirituales mediante formas pictóricas y plásticas; y, al comunicarlas, es probable que la ostentación de habilidad sea más funesta que la incapacidad manifiesta".

¿Hasta qué punto lo escrito entonces por Roger Fry no sólo llega hasta Hodgkin, sinó también, en una cierta manera bastante decisiva, articula con un sentido original la vía más fecunda de modernización del arte británico en el siglo XX? Ciertamente no carece de sentido hacerse, cuanto menos, esta pregunta, ya que tradicionalmente el arte británico no sólo ha desarrollado, aunque tardíamente, unas peculiares señas de identidad propias, sinó que se han acentuado en la época contemporánea. Evidentemente, esa peculiaridad acentuada, a partir del siglo XIX, lo es necesariamente frente a París, lo que no debe traducirse sin más en un motivo de orgullo. De hecho, la naturaleza cosmopolita de la vanguardia ha condenado estas desviaciones locales, a veces con una excesiva indiscriminación, como reacciones provincianas. En este sentido, a pesar de la precocidad y, sobre todo, la calidad de la moderna escuela de paisaje británica, sorprende el contumaz triunfo de una línea académica a lo largo de casi todo el siglo XIX y la falta de cohesión aparente que se produce entre las escasas reacciones frente a él por parte de unas pocas figuras aisladas, que no están al margen de la vanguardia parisina, pero tampoco secundan servilmente sus posturas. Y donde quizás se perciba más esta situación es en la casi completa ausencia de impresionismo en la pintura británica, a pesar de los antecedentes locales, como Constable o Turner, y a pesar de la presencia circunstancial en las Islas de Monet y Pisarro o, en fin, a pesar asimismo del papel como enlace que pudo desempeñar al norteamericano britanizado James McNeill Whistler.

Esta resistencia frente al impresionismo, que pudo parecer y fundamentalmente pareció una reacción provinciana frente a lo moderno, merece ser revisada. Y la clave de esta revisión hay que buscarla, a mi modo de ver, precisamente en esa apuesta postimpresionista sostenida por Roger Fry, que logró proponer los únicos modelos franceses viables para hacer aflorar, en términos modernos, la sensibilidad local, modelos como Cézanne, Van Gogh y Gauguin, cuya fuerte empatía expresionista, simbolismo, sentido sintético en la construcción de las figuras, revaloración del dibujo, etc., se ajustaban mejor a la carga romántica inercial del arte británico que el naturalismo fenomenista del impresionismo puro.

En este punto, me veo obligado a citar nuevamente a Roger Fry, con el que Howard Hodgkin, dicho sea de paso, estuvo relacionado por lazos familiares, pero, sobre todo, con el que ha mantenido una filiación estética, y lo voy hacer, en esta ocasión, no sólo porque es quien mejor razonó la situación del arte inglés en ese momento crucial de los albores del siglo XX, sinó porque él mismo proporcionó una alternativa para salir de lo que podríamos llamar la situación de *impasse* provinciano en la que éste se hallaba, alternativa que, insisto, creo que ilumina bastante la actitud luego mantenida por Hodgkin. "En Inglaterra –escribió Fry en el capítulo titulado "Retrospectiva" (1920), perteneciente a su célebre ensayo

Visión y Diseño–, el arte a veces es insular, a veces provinciano. El movimiento prerrafaelista fue fundamentalmente un producto autóctono. Durante los años de mi infancia resonaban los últimos ecos de esa notable explosión, pero cuando empecé a estudiar seriamente arte por primera vez, lo esencial del movimiento era ya provinciano. Después de los veinte años de retraso habituales, la provinciana Inglaterra se enteró de la existencia del movimiento impresionista en Francia, y los pintores más jóvenes, que prometían, trabajaban bajo la influencia de Monet. Algunos de ellos formularon incluso teorías del naturalismo en su forma más literal y extrema. Pero al mismo tiempo, Whistler, cuyo impresionismo tenía un sello muy distinto, había expuesto la idea del arte puramente decorativo, y había intentado, quizá de una manera demasiado arrogante, prescindir en su *Ten o'clock* de la telaraña de los problemas éticos, deformados por prejuicios estéticos, que el pensamiento de Ruskin, exuberante y mal regulado, había tejido para el público británico. Los naturalistas no hicieron esfuerzo alguno para explicar por qué la imitación exacta y literal de la naturaleza podía satisfacer al espíritu humano, y los decoradores no supieron distinguir entre las sensaciones agradables y la significación imaginativa".

Entre el naturalismo y el esteticismo, Fry propuso, con un término inventado por él, el del postimpresionismo, seguir la senda abierta por Van Gogh, Cézanne y Gauguin, a la vez que reclamaba una nueva definición del arte como "expresión de una emoción". "Yo pensaba –puntualizaba un poco más adelante– que la forma de la obra de arte era su cualidad más esencial, pero creía que esa forma era el resultado directo de una percepción de alguna emoción de la vida real, por parte del artista, aunque, sin duda, esa percepción era de una clase especial y propia e implicaba un cierto distanciamiento".

Pues bien, al margen de la influencia operativa que estas opiniones de Fry tuvieron en el arte inglés del primer tercio del siglo XX, creo que esencialmente explican la actitud de Howard Hodgkin, el cual, además, ha decantado sus gustos y preferencias artísticas precisamente por esa línea del postimpresionismo francés, que encarnan, entre otros, Bonnard, pero, en su caso, sobre todo, Vuillard. Para explicar el clima no sólo estético, sinó también sensible e, incluso, moral de las inclinaciones de Hodgkin, puede servir de ayuda la experiencia de *The artist's eye*, que se organiza en la National Gallery de Londres permitiendo que un artista británico seleccione, monte y comente, dentro del marco de una pequeña exposición, un conjunto de cuadros elegidos de entre los riquísimos fondos de esta importante pinacoteca. A Hodgkin le tocó poder hacerlo en el verano de 1979 y eligió a los artistas siguientes: Delacroix, Renoir, Tiépolo, Velázquez, el llamado Maestro del Bambino Vispo, Mantegna, Manet, Carel Fabritius, Vuillard, Laurent de la Hire, y una miniatura anónima de la Escuela Moghul, artistas que cito en el orden dispuesto en el catálogo que se publicó al efecto, y, junto a los cuales, en el contexto de la citada exposición, Hodgkin, situó un par de cuadros suyos: *Dinner at Smith Square* (1978-79) y *Mr. and Mrs. E. J. P.*, sin fecha.

Salvo el caso de Vuillard, no hace falta ser un experto en la obra de Hodgkin para comprender que éste no hizo la selección exclusivamente guiado por sus estrictas preferencias como pintor. Si ello hubiera sido así, no nos podríamos explicar cómo Hodgkin no eligió a ningún maestro del clasicismo francés, como Puissin o Ingres, o cómo tampoco aparecían en la lista Degas, Bonnard y Matisse, por solo citar algunos ejemplos muy significativos para el caso. Y permítaseme, una vez más, volver sobre Roger Fry y su apasionada defensa de lo que llamaba esa "concentración clásica en el sentimiento", típica, según él, de la pintura francesa de todas las épocas: "Un espíritu clásico de este tipo es común a la mejor obra francesa de todos los períodos, desde el siglo doce en adelante, y aunque nadie podría hallar aquí reminiscencias directas de un Nicolás Poussin, su espíritu parece revivir en la obra de artistas como Derain. Es bastante natural que la intensidad y la resolución con que estos artistas se entregan a ciertas experiencias ante la naturaleza hagan aparecer extraña su obra a quienes no tienen el hábito de la visión contemplativa; pero, de parte nuestra, que como nación tenemos la costumbre de tratar nuestras emociones, en especial nuestras emociones estéticas, con una cierta frivolidad, sería imprudente acusarlos de capricho o falta de sinceridad. Gracias a esta concentración clásica de sentimiento (que de ningún modo significa abandono) los franceses merecen nuestra seria atención. Esto es lo que hace difícil su arte en una primera aproximación, pero le proporciona su arraigo perdurable en la imaginación".

Una concentración clásica en el sentimiento o la regla que corrige la emoción son, desde luego, términos estéticos que convienen muy bien a la personalidad y a la obra de Hodgkin, aunque es posible que, en su caso, no en balde pintor inglés, los extremos dialécticos se carguen con una peculiar intensidad. Debemos ahora añadir que Hodgkin, como el propio Fry, posee una refinadísima cultura visual y ha cultivado la pasión del coleccionismo como un notabílisimo experto hasta el punto de haber sido nombrado miembro del Board of Trustees de la Tate Gallery, primero, desde 1970, y del de la National Gallery, después, desde 1978. ¿Por qué, entonces, tan culto, refinado y experto *connaisseur* y coleccionista, además de pintor, decide, cuando se le ofrece lo que podríamos calificar como la oportunidad de su vida para seleccionar su panteón particular de maestros, salirse por la tangente? Aunque él mismo no lo hubiera explicado, tal y como aparece reflejado en el escrito personal que adjunta al catálogo de la mencionada exposición en la National Gallery, estaríamos obligados a deducirlo en función de esa aparentemente extraña selección, que no lo es, sin embargo, tanto, si la analizamos en función de algo tan primordial en un artista que contempla habitualmente un museo y se encela con el deseo de poner a prueba, más que a nombres, a obras provocadoramente amordazadas por las circunstancias.

Para hacer hablar a una obra, incluso a la peor, porque para un creador ninguna obra es lo suficientemente mala como para que no merezca una conversación esclarecedora, lo principal es sacudirla, poniéndola al revés, bajándola a ras de suelo o modificando su punto de vista establecido hasta que sea capaz de decir todo lo que tiene que decir, bueno o malo. Esto es obvio, pero no sólo desde un punto de vista genérico, sinó desde la peculiar forma tangencial con que Hodgkin parece mirar la realidad y el arte, fuente de emociones paralelas. En el fondo de todas estas manipulaciones interesadas, que se parecen a un compulsivo y desesperado interrogatorio, se adivina la necesidad perentoria de materializar la fuerza virtual de la obra, de hacerla hablar lo que parece guardarse sólo para sí, como un as o un drama en la manga.

En cada cuadro elegido, Hodgkin se interroga o responde sobre un enigma, con lo que es el enigma -y no sólo la inclinación ante la excelencia- lo que parece preocuparle en la pintura. ¿Por qué, entonces, extrañarnos, que él mismo pinte enigmas, o, más bien, haga girar todo en torno a la captación y plasmación pictórica de la milagrosa evidencia enigmática? Estamos llegando a un punto esencial en la poética de Hodgkin, que, no por su naturaleza equívoca, deja de arrojar la única luz posible sobre su razón de ser y su forma de pintar, una forma de pintar que, como se ha señalado, nos proporciona sensaciones abstractas a partir de contenidos anecdóticos de naturaleza inapelablemente figurativa.

Los cuadros de Hodgkin son, por lo general, pequeños y su soporte es duro, una superficie de madera. Por otra parte, si el tamaño reducido y la dureza de la superficie en la que están pintados nos indican una tendencia hacia la concentración más intensa, la invasión pictórica de los marcos, que están asimismo pintados, aunque con lo que podríamos llamar justamente un marco de resonancia pictoricista, nos obligan a admitir la existencia de una fuerza complementaria y contradictoria de expansión. El móvil es una emoción frente a una vivencia y el medio una esforzada elaboración que discrimina sin cesar, un trabajo lento, cuyo resultado es una esencia o no es nada. Y es esta lucha en pos de las esencias, el efecto final es que no hay nada más esencial que la tensión.

Hodgkin vive y pinta con intensidad, pero no tiene prisa. Sus colores son violentos y sus formas están sometidas a una vibración que crea una atmósfera sensual, ardiente, sobrecargada, espesa. Todo parece duro y plano y todo, a la vez, ha de dar el máximo rendimiento ilusionista de profundidad y de atmósfera. En cierta manera, sus cuadros son exvotos con una narrativa enterrada por el flujo de sensaciones y emociones, que contienen virtualmente el secreto de una historia irrepetible. Como demandara Fry, un cuadro es una forma, pero no hay formas deshabitadas por la emoción. Es esta una tesitura, pues, que no persuade, sinó que, simplemente, embarga.

Hay, no obstante, muchas y variadas formas de sentirse embargado en la vida y en el arte, pero el verdadero problema creativo es transformar este embargamiento, que bien podríamos denominar para el caso embriaguez, en un orden pictórico. Esto es exactamente lo que ha intentado y sigue intentando Howard Hodgkin sin prisas, pero sin pausas. El contrapunto que genera en cada uno de sus cuadros entre la emoción desencadenante y esa estricta regla que ha de manifestarse sólo con la ayuda del lenguaje pictórico convierte su obra en una fuerza centrípeta que absorbe al espectador hacia esos peligrosos acantilados de formas vaporosas en la lejanía, pero de perfiles duros en la aproximación. En cierta manera, el canto de la sirena y el accidente mortal acechan en cada cuadro de Hodgkin, lírico y despiadado. Mano de hierro con guante de seda: tal puede ser una buena descripción de estos paisajes embriagadores, cuyo hermético enigma refulge como los encantos de un jardín prohibido. Antes cité lo que Fry opinaba sobre esa concentración clásica en el sentimiento, característica de la mejor tradición francesa, y no se me ocurre otra cosa mejor para definir la pintura de Hodgkin que esta misma leyenda invertida; esto es: un sentimiento violentamente volcado en pos de la concentración clásica, como una tabla de salvación.

Francisco Calvo Serraller

English texts

Foreword

If the painting of Howard Hodgkin has a characteristic feature it is its absolute modernity; a modernity that is determined by the great synthetic capacity that underlies his endeavours, throughout an aesthetic career that involves a wide variety of historical tendencies.
The Spanish public has not had an opportunity to become acquainted with the painting of the British artist at first hand. Except for the display of graphic work which, in the course of a tour through Spain organized by the British Council, was presented in May 1989 in Terrassa, there has been no exhibition in our country that would allow an assessment of the true range of his work.
The exhibition we are presenting now, which includes 27 paintings, is, then, the first of its kind to be seen in Spain. It took more than ten years to prepare, since the scanty, fragile works were scattered among various private collections, some of which were at a great distance; this circumstance contributed to create an aura of secrecy and an atmosphere of rareness around the display that have enhanced its appeal. However, its most exceptional quality lies in the magical eruption that Howard Hodgkin's painting, which seems distanced even from his own period, produces in the viewer by bringing him into contact with the long and remarkable familiarity that the artist has with the art of painting.
As a result, it should be easy to understand how sincere our gratitude is towards all the people who have made this exhibition possible: Henry-Claude Cousseau, of the Musée des Beaux Arts in Nantes, and Jacqueline Ford, the commissioner of the exhibition, of the British Council, as well as Peter Prescott and Andrew Kyle, of the British Council in Paris, for their support, and Miren de Bustinza, of the British Council in Barcelona, for her help. We would also like to express our profoundest thanks to Catherine Ferbor, Tanya Leslie and Joanna Gutteridge, of the British Council, whose constant collaboration on this project has been of inestimable value.
Nor can we forget Timothy Hyman and Francisco Calvo Serraller, who have written valuable commentaries on the work of Hodgkin for the exhibition catalogue, or Carol Lee Corey of Knoedler & Co., New York, and Sara Shoot, of the Washington Galleries in London, for their exceptional collaboration.
It is with pleasure, then, that the Fundació Caixa de Pensions presents this exhibition, which was organized in collaboration with The British Council and brings together the most significant works that the artist created during the past decade, thus offering the public of Barcelona its first opportunity to become thoroughly acquainted with his work.

Henry Meyric Hughes
Director of the Visual Arts Department of The British Council

Joan Josep Cuesta
Executive Director of the Fundació Caixa de Pensions

Hodgkin: Inalienable Painting

The interpretation of Howard Hodgkin's work is distorted by preconceived ideas. Many people in Europe see it as being confined within the preciosity of a kind of virtuose performance of western tradition, and not belonging resolutely to its time; it is felt that his work remains elegantly aloof from contemporary contributions, since he has disdainfully ignored these and, not without a touch of condescension, has embraced the least up-to-date of artistic references. There is indeed a certain loftiness in the painter's attitude and thinking, but this cannot be attributed to gratuitous superiority, and even less to any intellectual blindness. His own words[1] suggest that a certain resistance to his time, and particularly his refusal to submit to its consensus, originate with an exigent concern for *classicism.* A kind of scepticism somehow forces upon him the challenge of adhering to fundamental traditional assumptions, the better to surpass them on their own ground – which in the final analysis is tantamount to ignoring them!
This makes Howard Hodgkin particularly remarkable: without letting it become obvious, what he is really doing is proposing an alternative to the painting of recent decades. A kind of superior knowledge dismisses the radicalism of breakaway dissensions in favour of an obstinate persistency that is just as provocative and fertile. The desire for timelessness that underlies all classicism, and which Hodgkin particularly conveys, is above all accepting the dissociation of the work's essential purpose from stylistic appearances which, though inevitable, are nonetheless secondary. In that order, the shelter and discreet protection afforded by tradition are used as a foil to give greater impact to the acuity and strength of the thought. Signs of such a preference are apparent in Hodgkin's work from the beginning of the 1970s. The painter decides to express himself within limits and through concepts that encapsulate a history of the picture: a predilection for exuberant, emotional colour (largely emanating from French tradition), at the heart of which visibly lies a declared passion for Vuillard, whose intimist lessons the artist retains; a taste for small formats (which lead him to prefer wood to canvas as a support), closed compositions accentuating the depth underlined by systematic insistence on the notion of the frame. On a different register, the titles of the paintings afford a glimpse of how their genesis reflects the painter's life, providing an autobiographical narrative that reveals the effects it is charged with.
But description (even if it is permanently involved in a delicately allusive flirtation with reality) falls short. The subject lies elsewhere. The illusionist deceit that so fascinates Hodgkin takes its starting-point in the artifice of an almost exclusive emphasis on marks, which ultimately serve only to introduce his logic. The painting is always framed; but to give solid emphasis to its oneness with the painting, the frame is in turn painted, incorporated into the composition by the play of marks and colours, to the point where it becomes one of its constituent elements. It is part of the painting, and therefore in fact has no real existence in its own right! Of course, the space «create(s) an illusion of depth without disturbing the flatness of the picture surface»[2]; it is «cavernous»[3], made tangible partly through accentuation of the edge, which concretely introduces a kind of hierarchy in the progression towards the focal centre of the picture. The mark goes as far as to liberate signs, which are succinct but incorporate colour the better for being so concise. The colour itself, by means of a clever interplay of translucent overpaintings and luminous interstices, relays the organisation, the interior breakdown of the space. Its exhilarating stridency, its stabbing brightness, produce modulations, dissonances or harmonies that all contribute to making the whole picture resound like a chord struck on an instrument. But this pinpointed, temporal concision partly obscures the painter's real project.
The latter is indicated by a very illuminating comment made by the painter, which reveals the other side of his thinking: «It's a major concern of mine that every mark that I put down should not be a piece of personal autograph but just a mark, which then can be used with any other to contain something. I want to make marks that are anonymous as well as autonomous»[4]. These are qualities that Hodgkin already detects in the work of David, then Degas (whom he contrasts with Manet), and closer to us, in Jasper Johns[5]; in other words, here the artist manifests a preoccupation which completely contrasts with his overt concerns, and links him very closely with his contemporaries.
After Pollock, in whose work gestural projection reaches its highest point, painting becomes the scene of thinking that tends to put it literally on stage; the «piece of painting» as a classic emblem becomes the subject of the picture in an ironic alienation effect which brings out certain elements (the mark, together with its corollary the gesture, spatial illusion and ambiguity with regard to figuration) as a specific theme. This is true of Gerhard Richter in particular, but it also applies to Lichtenstein, Polke and others.
It is obviously a common mode of enquiry into the problem of painting, the stage-setting of pictorial practice, that is characteristic of a certain outlook, and it will be remembered that in his early

years Hodgkin produced work that had affinities with Pop art. The artifices the painter uses are finally explored and taken apart only the better to reinforce and perpetuate their power. More precisely, the painting is here worked out from the starting-point of the fascination engendered by its own stereotype, both imaginary and cultural. The artist's passion for Indian painting is also undoubtedly related to his *classicism*, or in other words, to the stereotypic strength it possesses despite – or especially because of – the discreetness, almost the miraculous tenuousness, of the means it employs. To quote someone with a personality apparently totally opposed to Hodgkin's speaking about the idea of beauty, G. Richter said «I have reached the conclusion that it always had as much impact»[6]. The word is essential. It is the *initial* power of painting that is evoked. This means that what the painter is trying to achieve is naturally of a conceptual order, but also belongs to that of effect. In Hodgkin's case, to summarise, while marks, signs, colour, space and composition do have an immediate narrative dimension, this is superseded, covered over and concealed. Somewhat similarly, when his paintings are re-worked time and time again, over the years the overpaintings gradually obscure the original subject of the picture, and another subject emerges in a corollary movement. It is a token of the interval of time and the source of a further device which, from the framed painting to the frame-become-painting, culminates in its representation. As the artist so accurately puts it himself, nothing, not even his own particular *intimisme*, escapes being «brutalised»[7] by painting. Where Richter invokes the notion of impact as a protocol of mastery of his strength, of his power as a painter, Hodgkin reacts by refusing in addition to separate it from the effect it unfailingly produces.
Going back to his starting-point, preferring by virtue of his *classicism* to operate by a process of synthesis rather than excision or rejection, once he has this power – and only then – Hodgkin incorporates the sensitive and concrete dimension into the image, particularly through the use of colour. Irony is in turn submerged, pushed aside by the feeling of the statement. He is aware that in this way he is durably perpetuating the memory and sensuousness of the moment and restoring to painting its inalienable power[8].

Henry-Claude Cousseau

Notes

1. See the most interesting interview with David Sylvester in *Howard Hodgkin: Forty Paintings 1973-84,* London, 1984, with particular reference to p. 105.
2. Ibid. p. 101.
3. Ibid. p. 101.
4. Ibid. p. 105.
5. Ibid.
6. Quoted in Bernard Blistène, *Gerhard Richter ou l'exercice du soupçon*, catalogue for the exhibition *Gerhard Richter,* Saint-Etienne, Musée d'Art et d'Industrie, January-February 1984, p. 8.
7. Op. cit., p. 100.
8. In the sense Roland Barthes understands poetry when he contrasts it with ideology in *Mythologies*, Paris, p. 247.

Howard Hodgkin: Making a riddle out of the solution

Every painter, it might be said, holds the belief that a human emotion and a physical object can become exactly equivalent. But in the case of Howard Hodgkin, that fusion of emotion and object remains exceptionally and nakedly the issue. No contemporary artist has marked out so consistently, as his special area of emotion, the most fugitive, intangible, elusive, evanescent; at the same time, none has so emphasised the material identity of each painting – that each should be, in Hodgkin's own words, an object «as formally and physically solid as a table or a chair».
This exhibition is the first to focus on Hodgkin's smaller pictures. They are not in any way miniaturised variants of the larger images; even in the smallest of them, the scale of the individual marks remains undiminished. (And it is the brushmark, in all these works, which constitutes the essential unit.) For Hodgkin himself, the smallness of these pictures is an integral part of their meaning: «There are some emotions one wants to encapsulate rather than display. A little thing has to be said on a small scale. But they're not *less.* A small picture requires tremendous discipline about what one can say. One can't say as much.»[1]
In Hodgkin's previous exhibitions, the smaller paintings have, as he says, appeared «rather like children alongside their parents»[2]; the opportunity afforded here is to meet them on their own.
By the standards of his contemporaries, all Hodgkin's pictures might be described as small. As we pass into the post-war section of any museum, the first thing to strike us is the increase in scale. The sixties and early seventies, when Hodgkin's work first began to be exhibited, was in David Sylvester's words, «a period in which the domestic scale for pictures was internationally outlawed».[3] It was a commonplace that easel-painting was a supercede mode; to be valued, a painting must present not a window, but a wall. Underlying this formal convention was a convention of feeling; that the only area of emotion to which any considerable contemporary art could aspire was The Sublime.
Howard Hodgkin found early on that his concern as a painter was with intimate personal experience; and he developed, over more than twenty-five years, a language that could cope with such experience. In determining his scale, the emotion and the object interact. As he explains:
«The subject has to be physically contained... The kind of illusionism I use as a pictorial language doesn't work on a large scale. If you are painting an enormous picture, you have to use a different kind of illusionism, which is far more architectural, and far less intense. And I think that was the reason, the most important reason, why my pictures are comparatively small.»[4]
Intensity, as much as intimacy, is the key here. How often, encountering a tiny single work by Hodgkin in a mixed show or on a museum wall, have I seen it flash and shine, like some wonderful new star bursting into a galaxy of dead planets! One painting I recall was indeed a planetary one – *The Moon*, an image barely 50 centimetres across. The only way to hang it, in the company of its extremely large and rhetorical neighbours, was to give it a space at least as large, which it easily commanded. The lesson was unmistakeable: concentrated density and compressed radiance can far outweigh infinitely larger masses.

«My pictures», wrote Hodgkin in 1972 (in a note accompanying his first exhibition in Paris), «are narrative paintings which describe specific moments and very definite people. I have made several portraits in which I have tried to create an amalgam between the individuals and their surroundings, as well as between one another».
«Amalgam» is interesting; as though the artist hoped to melt together all these elements, and to seal them within the image, like a fossil in amber. More than twenty years earlier, as a sixteen year old, he had completed a compellingly lucid little gouache, about 25 centimetres, which heralded in subject as in wit and compression, the character of his future work. But *Memoirs* he knew was premature:
«It took me years to get back to the intensity of that picture. But I wanted to get there from another direction. I wanted to use paint as a *substance*».[5]
Everything in Hodgkin's early development might be seen as directed towards that substantiality. He found he needed to begin each painting on an extremely positive support – preferably something that already existed as a wooden object; it might be a section of a door, or even a breadboard. The figures would need to emerge from, be embedded in, the very matrix of the picture, even if that meant reducing them to the most vestigial stick or sign.
A description of an early Hodgkin might dwell on its flat geometric shapes, its humorous jumpy discords of bright colour (easily assimilable to the collage-aesthetic of «Pop») and the overall mood of manic hilarity. But it would need also to convey the fact that most of these paintings were worked on over several years, and that the final image carried that sense of the passage of time, of an accumulation.

Emotion is, in all Hodgkin's work, understood to be at one remove from the physical. He may start out by blocking-in his room or his figures more-or-less literally, but over the months emotion builds a structure of its own. Should we call the resulting images «abstractions»? Abstract painting is often taken to be synonymous with purist painting. But there is also a transcendence whose epiphanies are grounded in the everyday. Hodgkin's peculiar brand of metaphysical art occupies the very hinge-point where day-to-day experience is transformed to the visionary.

Vuillard and Bonnard are the great exemplars for those ecstasies of the everyday. Hodgkin's vocabulary of blobs and splodges has its origin in Vuillard's patterned surfaces; it becomes a language to express the thickening atmosphere that exists between people in rooms, those vibrations which overlay and invade each space, to reset Vuillard's patterned intimacy to a wilder rhythm. What in the 1890s needed to be pressed into service as «the pattern in the carpet», could by the 1970s stand clear, liberated from all representational function. Such marks become for Hodgkin an essential instrument for free lyrical improvisation; they may be of any colour, distributed in any rhythm.

Throughout all the post-war years, until Hodgkin struck the note again, the tradition of Intimism seemed to have no heirs. Part of Hodgkin's achievement in the 1960s and 70s was to revalidate that neglected possibility, to create an art that speaks to us in a new way of what happens between friends in quiet rooms.

This exhibition begins about the time when Hodgkin's subject-matter takes a slightly different turn. The complex sociable situation may still occur, but it tends to give way to more direct, even primary, emotions. Paintings like *The Moon* (1978-80) or *Rainbow* (1983-85) assert a kind of primal image, close to emblem or archetype. More than ever, Hodgkin's rejection of iconography, his embracing of sheer sensual response, may seem to fulfil Wallace Stevens' definition of art, that it should be «a reply to Greek and Latin with the bare hands».

When Hodgkin looks out from Venice, he sees nothing except sky and sea; and the picture's structure becomes only about how the rectangle of sky, abutted to the rectangle of sea, is grasped in our perceptual gaze (which is the frame). Venice is neither architecture nor people; what matters is the insistent presence of the horizon, which like a zoom lens yanks us into the deepest infinite space. Images as simple as this remind us how little is needed in painting to create a world. Yet these pictures prove to be less elemental – less about the weather – than might at first appear. Degas in his coloured monotypes of the 1890s (long admired by Hodgkin) had wonderfully explored the project of a landscape of elusive memory; *Venice Rain*, with its giant swag of red cloud set against a lime-green frame, has been described as «not a painted memory, but an image of the act of remembering, necessarily unfocused».[6] What operates this subtle reflex is, I think, the painted frame, the way it vignettes each plunge into space to become an object, a thought solidified.

In several of these pictures a small central image – it might be the bearded head of *Paul Levy*, or the worm-like silhouette that rises from the distant lawn in *Small Henry Moore at the Bottom of the Garden* – is seen through a surround much larger than the image itself. Often the actual moulding of the frame is contradicted by the way it is painted; a territorial war is constantly being fought, the image expanding over the frame, only for the frame to fight back and squeeze the image. The aerated red marks that cluster on the flat outer frame of *Rainbow* seem like an after-image, expanding outwards from the radiant alizarin arc at the centre. By contrast, the flat red which pushes several centimetres inside the moulding of *In the Honeymoon Suite*, so occludes whatever drama is enacted there, as to make of it a sort of keyhole glimpse. In some of these works, image and frame attain such a fluidity that we seem to experience both the long-shot and the close-up, together and simultaneously.

Across all these images is the aspiration to make paint and brushmark act as some essential substance or plasma of experience itself. These marks might equally stand for points of light hitting the eye, or stabs of pleasure. In *Paul Levy*, for example, the ochre patches and flakes may read as chunks of conversation; just as they elsewhere could, if we're so inclined, embody thought-forms, or suspended auras. And meanwhile their spatial function is often as a kind of auxiliary frame, to mark out the penumbra of peripheral vision. In much the same way Bonnard had earlier exploited the *approximate* quality of Impressionist mark-making, in order to stress subjectivity; how the objects represented are subsumed in the pleasure of seeing. What grasps the image is the rim of the eye, of the self.

Of all the artist's resources, colour acts most directly upon us. In Hodgkin it regains its full amoral and euphoric power. Two thousand years ago, Vitruvius was already complaining: «The artistic excellence which the ancients endeavoured to attain by taking pains, is now attempted by the use of colours, and the brave show they make. Which of the ancients can be found to have used vermilion other than sparingly, like a drug?». Well aware of its narcotic potential, Hodgkin's colour sets out to make us swoon; he poisons us with it.

When Hodgkin sees through a window the vaporous full moon spinning above the sea, it triggers a marvellous lunar romance; a tiny picture whose intoxication – as the moon seems to step forward out of the viridian sky – epitomizes for me that strong magic by which his art casts its spell. The even smaller roundel of *Dark Moon* (its manic and threatening vortex of grey and black overlaying angry red) reminds us, what Pierrot and every moonstruck lover knows, that the shadow side is never far away.
At a first encounter, a picture by Hodgkin offers undiluted sensual gratification, at an intensity available nowhere else in English art. But even his most ostensibly «beautiful» pictures prove to be strong meat. Doubletakes lie stored behind the gorgeousness of *Goodbye to the Bay of Naples*; the sudden looming into consciousness of the foreground green phallus, set against the blue plane of the Mediterranean, while Vesuvius behind erupts black lava all around the frame. True, not all Hodgkin's images are conundrums of this kind; no one will mistake, for instance, the bare-wood male odalisque in the foreground of *Waking up in Naples*. But while my overall sense remains of these pictures as enigmas, I experience them also as images of feeling – of a world knocked off-balance by feeling, whose particular forms have been overwhelmed by feeling. In Hodgkin's own words, «I would like to paint pictures where people *didn't care* what anything was, because they were so enveloped by them».[7]
Asked how he knows a picture is finished, Hodgkin replies «when the subject comes back».[8] And I think we believe him, even if he seems to put every obstacle between ourselves and any simple identification of that subject. The intuition that ambiguity may be necessary to convey experience has exposed many twentieth century artists to the charge of mystification; whose best rebuttal may be in Karl Kraus' cryptic formula, that «only the true artist knows how to make a riddle out of the solution».

I want to describe my typical experience of a Hodgkin picture. At the beginning is that «initial seduction», which Bonnard said was essential to all painting, but which in Hodgkin is exceptionally overt, in magnificence of colour and verve of mark. I am drawn closer also by a sense of illusion, of deep space, which carries the promise of representation (and is usually confirmed by the title). Only to find that representation withheld. From this point on the image assumes the character of a riddle. A later stage – it may be seconds later, or years; there are pictures in this show I've yet to puzzle out – may come about when I suddenly «read» the image. And with that recognition comes a marvellous sense of a process completed.
Hodgkin himself has spoken of «time regained», and the Proustian parallel is evident. Psychoanalytic theory tells us creativity is linked to the surmounting of distress; in the words of Hannah Segal, «aesthetic pleasure is derived from our identification with the artist's depressive struggle, and his emergence from it'. Or, to take a lighter tack, one might think of Mallarmé advising the artist, «Don't paint the thing itself: paint the effect it produces»; because «to name an object is to do away with three quarters of the enjoyment... which consists in the pleasure of guessing, little by little». At any rate, it is clear that through his riddling language Hodgkin offers a participation, or complicity, of all these kinds.

Perhaps one should distinguish here two separate issues. There is the process by which emotion or memory becomes a work of art. And there is the very different question of depiction in the art of our time.
When I first encountered Hodgkin's work, I felt he was addressing, as much as any artist I knew, fundamental questions of depiction. How, for instance, do we now represent the experience of *being with* another person? Hodgkin has several times declared that he cannot image «anything less like visual or physical reality than the traditional portrait». To look at another person, we both agreed in 1975, seemed «like staring into the sun».[9] How could one reconcile that experience with the retinal, single-focus linear image? And the riddling dimension in his work, the «camouflage», came partly from that conviction: that one could no longer hope to build a representation. The image must be arrived at more obliquely, but also more directly.
Hodgkin's work seemed to point the way toward a new language, which would take more account of our subjectivity, of what he has called «the elusiveness of reality». I still believe that, but today I see it a little differently. Hodgkin belongs to a generation whose maturity coincided with the dominance of formal abstraction; and his own pictorial language has always been under severe formal strain. By contrast, for me as for other artists fifteen or twenty years younger than Hodgkin, it now seems possible to delineate, say, the features of a face just because that formal intensity seems less imperative. In that more «relaxed» perspective, Hodgkin's may seem only one language, at the further reaches of a whole spectrum of possible depictions. Nevertheless, his sense of the painting-as-object still seems to me so formidable as to place a large question mark over all the more descriptive kinds of contemporary representation.
In the sixties he had challenged the orthodoxies of abstraction; today, of depiction. More explicitly than any painter I can think

of, Hodgkin's achievement is to «grasp the situation» with complete and conclusive engagement, and so to make experience acutely present to us. It is precisely because his best pictures embody that tension between emotion and object, pitched to the highest level, that they unravel so richly the essential processes at the heart of painting.

Timothy Hyman

Notes

1. Howard Hodgkin in conversation with the author, February 1990.
2. Ibid.
3. Interview with David Sylvester, in *Howard Hodgkin: Forty Paintings 1973-84* The Whitechapel Art Gallery 1984.
4. Ibid.
5. Interview with Richard Cork, Lecon Arts, London 1984.
6. Andrew Graham-Dixon in *The Independent,* Tuesday, 6 September 1988.
7. Interview with the author, Artscribe, July 1978.
8. As 3 above.
9. Timothy Hyman, «Howard Hodgkin», Studio International, Vol. 189, May/June 1975.

Emotion and order

Among the many things that can be said about Howard Hodgkin, the British artist who was born in London in 1932, one is that he is a painter who is not in much of a hurry. In fact, if we cast a backward glance at Hodgkin's career as an artist, he doesn't seem to have been in a hurry to paint, or even to take the next obvious step and make his work known to the public. Hodgkin's first individual exhibition did not take place until 1962, when he was thirty years old, but he did not really start attracting considerable critical attention until the following decade and it wasn't until the early eighties that he achieved international acclaim, when he was one of the artists selected to take part in the display titled *A New Spirit in Painting,* which was organised by the Royal Academy of Arts in London in 1981 and became controversial even outside of Great Britain. A little later, two important Hodgkin exhibitions travelled to various countries. The first of these, which was monographic and bore the title *Indian Leaves,* finally reached the Tate Gallery, in London, in 1982, while the second, which was selected from the works he had made over approximately ten years and was titled *Forty Paintings: 1973-1984,* was on display, precisely during the year 1984, in several places, including the Whitechapel Art Gallery, in London, and the British Pavilion at the 41st Venice Biennial.
When he showed the last two of these exhibitions, which were decisive in making his work internationally known outside the selective circles of specialists, Howard Hodgkin had already been alive for a good half a century. At any rate, one thing is to avoid an excessive preoccupation with success or with the strategies that would help to achieve it quickly and another, very different thing, is to work slowly, even disregarding the significance of a delayed or prompt output from the promotional point of view, since the slow and the quick rhythm can both be profitable, each in its own way.
Howard Hodgkin was late in receiving critical recognition because of the scantiness and slowness of his production as well as his indifference to his personal promotion as an artist. However, the slowness of Hodgkin's production is prior to any conscious plan or deliberate attitude. I mean that it is something Hodgkin encounters without looking for it, a sort of fatality: the result of an aesthetic contradiction. But I am not really sure whether the cause of the fatal delay imposed on his work should be described as a contradiction or a paradox, if we clearly bear in mind that, in

view of the paradoxical nature of art, we must admit that the shortest distance between two points is not always a straight line. Hodgkin expressed himself in similar terms, for instance, when he explained that the most direct artistic representation is achieved through an "oblique", forced perspective. He said this precisely in reference to the painting methods of Degas and Kooning, who utterly reject the technique known as *alla prima*, which is conventionally considered to be the most appropriate way to grasp a fleeting reality. For Hodgkin, the sensation of spontaneous fugacity can only be achieved through the most sophisticatedly elaborate method and technique. "What takes a long time", Hodgkin declares, concerning the act of painting, "is to give it significance, to incorporate those emotions, sentiments and impressions that can not be incorporated through an *alla prima* technique."

On the occasion of the exhibition that was presented at the Grafton Galleries in London, in 1912, Roger Fry, the British critic who coined the term "postimpressionist" and was the author of the foreword to the catalogue of the anthological display of French painting, wrote the following: "When the first postimpressionist exhibition in these galleries was held two years ago– he was referring to the exhibition in 1910–, the English public became fully aware for the first time of the existence of a new movement in art, a movement which was rather disconcerting because it was not merely a variation on accepted themes, but involved a reconsideration of the objective itself, the intention and the methods of picturely and visual art. As a result, it is not very surprising that a public which had, above all, admired the skill with which an artist produced illusion in a picture took offence at an art where such skills were completely subordinate to the direct expression of sentiment. Accusations of awkwardness and incapacity were freely made, even against such a consummate artist as Cézanne. However, such missiles fell wide of the mark, since the aim of these artists is neither to display their dexterity nor to proclaim their knowledge, but to try and express certain spiritual experiences through picturely and visual forms; and, in communicating them, an ostentation of skill may very well be more deplorable than an obvious lack of capacity."

To what point does what Roger Fry wrote then not only reach as far as Hodgkin, but also, in a very decisive way, give an articulate expression with an original sense to the most fertile path in modernisation in the British art of the twentieth century? It will certainly not be irrelevant at least to ask ourselves that question, since British art has traditionally not only developed characteristic, though belated, signs of identity of its own, but has witnessed the accentuation of such signs in the contemporary period. Since the nineteenth century its peculiarity has, of course, inevitably been accentuated with respect to Paris, which should not automatically be interpreted as a motive for being proud. In fact, the cosmopolitan nature of the avant-garde has condemned such local deviations, at times too indiscriminately, as provincial reactions. In this sense, in spite of the precocity and, above all, the quality of the modern school of British landscapists, one may feel surprised at the obstinate triumph of an academic line during nearly all of the nineteenth century and the apparent lack of cohesion among the scanty reactions against it by a few isolated figures, who are not entirely cut off from the Parisian avant-garde but, at any rate, do not support its postures slavishly. And this situation is perhaps most palpable in the well-nigh total absence of impressionism in British painting, in spite of local forerunners, such as Constable and Turner, or of the circumstantial presence on the Islands of Monet and Pisarro or, finally, of the role as a nexus that could have been played by the American-turned-British James McNeill Whistler.

This resistance to impressionism, which could and basically did seem like a provincial reaction against modernity, deserves to be revised. And, in my opinion, the key to the revision should be sought precisely in the postimpressionism championed by Roger Fry, who even suggested the only French models that could have produced a flowering, in modern terms, of the local sensibility, models like Cézanne, Van Gogh and Gaughin, whose strong expressionist empathy, symbolism, synthetic sense in the construction of figures, revaluation of the drawing, etc., were better adapted to the inertial Romantic charge of British art than the phenomenalist naturalism of pure impressionism.

At this point I must again quote from Roger Fry, with whom, incidentally, Howard Hodgkin was related through family ties, but, above all, through aesthetic connections, and this time I am going to do so not only because he is the person who best explained the situation of English art at that crucial moment in the early years of the twentieth century, but also because he provided an alternative to get out of what we may call the provincial impasse that art was struggling against, and I believe that the alternative sheds much light on Hodgkin's attitude at a later date. "In England," Fry wrote in the chapter titled "Retrospective" (1920) in his famous essay *Vision and Design*, "art is sometimes insular and sometimes provincial. The Pre-Raphaelite movement was basically an indigenous product. During the years of my childhood the last echoes of that momentous explosion were resounding, but when I started studying art seriously for the first time the essence of the movement had already become provincial. After the habitual twenty years of tardiness, provincial England found out about the existence of the impressionist movement in France, and the youngest, most promising painters worked under the influence of Monet. Some of them even formulated theories on naturalism in its most literal and radical form. But at the same time Whistler, whose impressionism was of a very different stamp, had expounded the idea of purely decorative art, and had tried. perhaps in an overly arrogant way, to paint his *Ten o'clock* without paying any attention to the cobwebs of ethical problems, deformed by aesthetic prejudices, that the exuberant, disorderly mind of Ruskin had woven for the British public. The naturalists had taken no pains to explain why the precise, literal imitation of nature could satisfy the human spirit, and the decorators were not capable of distinguishing between agreeable sensations and imaginative significance."

Between naturalism and aestheticism, Fry used the term postimpressionism, which he himself had invented, to suggest following in the footsteps of Van Gogh, Cézanne and Gaughin, and at the same time insisted on a new definition of art as "the expression of an emotion". "I thought," he explained a little later, "that the form of the work of art was its most essential quality, but I believed that the form was a direct result of the perception of some emotion in real life by the artist, though such a perception was unquestionably of a special, personal kind and involved a certain distancing."

Besides the operative influence that Fry's opinions here had on English art in the first third of the twentieth century, I believe they essentially explain the attitude of Howard Hodgkin, who, moreover, supported his tastes and artistic preferences precisely for that line of French impressionism, which was embodied. Among others, by Bonnard, but, in his case, especially by Vuillard. The experience of *The artist's eye* can be of help to explain the nature of Hodgkin's inclinations as regards aesthetics, sensibility and even morality. This exhibition, which is organised at the National Gallery in London, gives a British artist the chance, by making a small display, to select, mount and comment on a set of paintings chosen from among the fabulously rich collection belonging to this important painting museum. Hodgkin's opportunity to do so came in the summer of 1979 and he chose the following artists: Delacroix, Renoir, Tiepolo, Velazquez, the so-called Master of the Bambino Vispo, Mantegna, Manet, Carel Fabritius, Vuillard, Laurent de la Hire, and an anonymous miniature of the Moghul School. I have mentioned the artists in the order in which they appear in the catalogue that was published on the occasion.

Together with their paintings, Hodgkin placed a couple of his own: *Dinner at Smith Square* (1978-9) and *Mr. and Mrs. E. J. P.*, with no date.

Except in the case of Vuillard, one does not have to be an expert on the work of Hodgkin to understand that, in making the selection, he was not exclusively guided by his strict preferences as a painter. If such had, in fact, been the case, we could not explain why Hodgkin did not choose a single master of French classicism, such as Poussin or Ingres, or why Degas, Bonnard and Matisse, to name only a few very important examples, are missing from the list. And allow me to return, once more, to Roger Fry and his enthusiastic defence of what he called the "classical concentration of sentiment", which, according to him, has been characteristic of French painting in every age: "A classical spirit of this kind is shared by the best French work in all ages, since the twelfth century, and though no one may find direct reminiscences of Nicolas Poussin here, his spirit seems to relive in the work of artists like Derain. Very naturally, the intensity and determination with which these artists devote themselves to certain experiences with nature make their work seem strange to people who do not have the habit of contemplative vision; but it would be imprudent for us who, as a nation, are used to treating our emotions, and especially our aesthetic emotions, with a certain amount of frivolity, to accuse them of being capricious or insincere. Thanks to their classical concentration of sentiment (which certainly does not simply mean withdrawal), the French deserve our serious attention. This is what makes an initial approach to their art difficult, but gives it a lasting place in our imagination."

A classical concentration of sentiment and the rule that corrects emotions are, after all, very suitable aesthetic terms for the personality and work of Hodgkin, though perhaps in his case, as an unmistakeably English painter, the dialectical extremes become charged with a peculiar intensity. To this we must add that Hodgkin, like Fry, possesses a very refined visual culture and has cultivated a fondness for art collecting to such an extent that he was named member of the Board of Trustees of the Tate Gallery, in 1970, and later of the National Gallery, in 1978. So when someone who, being a painter as well as such a cultivated, refined, expert connoisseur, is offered what could be called the opportunity of a lifetime to select his personal pantheon of masters, why does he fly off at an angle? Though he himself would not have explained it, as is apparent in the personal writing that he contributed to the catalogue of the above-mentioned exhibition at the Tate Gallery, we could infer the answer from this apparently strange selection, which may not be strange, however, if we analyse it according to

what is essential in an artist who is in the habit of visiting museums and who is anxious to put to the test works that have been provocatively concealed by circumstances, rather than to display names.
But to make a work speak, no matter how bad it is – since, for a creator, no work is so bad that it does not deserve a few words of explanation –, the important thing is to shake it, turn it around, drop it on the floor or alter its established angle until it is capable of saying everything it has to say, whether good or bad. This is obvious not only from a general point of view, but also from the peculiar off-centre way in which Hodgkin seems to look at reality and art, a source of parallel emotions. Behind all these motivated manipulations, which seem like a desperate, compulsive search, one can feel the urgent need to materialise the virtual power of the work, to make it say what it seems to be keeping to itself, like an ace up a sleeve or a hidden drama.
In each picture he chose, Hodgkin wonders about or clarifies an enigma, so it is the enigma – and not only the bow to excellence – that apparently preoccupies him in painting. So why should we be surprised that he himself paints enigmas, or rather that he makes them revolve around the seizure and pictorial materialisation of the miraculous enigmatic evidence? We are coming to a fundamental point in the poetics of Hodgkin which, in spite of its equivocal nature, sheds the only possible light on his *raison d'être* and his way of painting, a way of painting which, as has been pointed out, gives us abstract sensations through anecdotal contents the nature of which is inevitably representational.
Hodgkin's pictures are, in general, small and they are painted on a hard wooden surface. However, though the small size and hardness of the surface they are painted on indicate a tendency towards the most intense concentration, the picturely invasion of the frames, which are also painted – though this is done with what precisely might be called a frame of pictoricist resonance –, obliges us to admit the existence of a complementary and contradictory force of expansion. The motive is an emotion in the presence of an experience and the medium is a vigorous, constantly discriminating elaboration, a slow work the result of which is an essence or nothing at all. And in this struggle for essences, the final effect is that there is nothing more essential than tension.
Hodgkin lives and paints with intensity, but he is not in a hurry. His colours are violent and his forms are subjected to a vibration that creates a thick, fiery, sensual, overcharged atmosphere. Everything looks hard and flat and, at the same time, everything has to produce the maximum illusive effect in depth and atmosphere. In a certain way, his pictures are ex-votos with a narrative buried by the flow of sensations and emotions, which virtually contain the secret of an unrepeatable story. As Fry was to say, a picture is a form, but no forms are void of emotion. So this attitude does not persuade; it simply seizes.
However, there are many different ways to feel seized in life and in art, but the real creative problem is to transform the seizure, which could just as well be called rapture in this case, into a picturely order. This is exactly what Howard Hodgkin has tried and is still trying to do with no hurry, but without any rest. The counterpoint that he generates in each one of his pictures between the unleashing emotion and this strict rule that must show itself only with the help of picturely language turns his work into a centripetal force that draws the viewer towards dangerous cliffs with misty shapes in the distance, but with firm outlines when closer. In a certain way, the song of the siren and the mortal accident lie in wait in every one of Hodgkin's lyrical, merciless pictures. An iron fist in a silk glove: that may be a good description of those intoxicated landscapes, whose hidden enigma glitters like the charms of a forbidden garden. Earlier I quoted Fry's opinion of this classical concentration of sentiment, which is characteristic of the best French tradition, and I can think of nothing better to define Hodgkin's painting than the same interpretation in reverse; this is it: a violently upset sentiment in pursuit of classical concentration, as a last resort.

Francisco Calvo Serraller
Translation: James Eddy